PROFIL FORMATION

Collection dirigée par George Décote

VERS LE COMMENTAIRE COMPOSÉ

par Paul DÉSALMAND,
ancien élève de l'Ecole Normale Supérieure
de l'Enseignement Technique
docteur ès Lettres

et Patrick TORT,
agrégé de l'Université
docteur ès Lettres

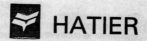

Sommaire

© HATIER, Paris, Octobre 1986

ISSN 0337-1425   ISBN 2-218-07726-4

10. Le problème de la rédaction

11. La préparation lointaine

12. Les Instructions officielles

Objectifs

« Mais qu'est-ce qu'on attend de moi ? »

Cette question a dû plus d'une fois vous venir à l'esprit à propos du commentaire composé et il est naturel que vous vous la posiez. La première chose à faire quand on prépare un examen, c'est de chercher à bien connaître la nature des épreuves proposées.

Notre premier chapitre intitulé « Les règles du jeu » répondra à votre attente. S'appuyant sur les Instructions officielles, sur les remarques des correcteurs relevées dans des centaines de copies et sur notre propre expérience, il aboutira à une première définition de l'exercice.

Mais si elle est indispensable, cette définition en quelque sorte extérieure de l'épreuve ne suffit pas. Après avoir appris les règles du jeu, il va falloir apprendre à jouer.

Le commentaire composé portant essentiellement sur le travail du style au service d'un sens singulier, il nous a paru tout d'abord nécessaire de vous fournir une information minimale sur *les principaux procédés de style*. Comment, en effet, pourriez-vous étudier le style si vous ne savez pas de quoi il s'agit ?

Ensuite, à propos de textes types, nous nous sommes mis avec vous dans les conditions de l'examen. Progressivement, en allant du plus simple au plus complexe, nous vous apprendrons à ausculter une page littéraire, puis à organiser vos découvertes. Si vous voulez vraiment apprendre à réussir un commentaire composé, il ne vous sera pas possible d'y échapper. Il va falloir lire ce livre jusqu'au bout.

Nous sommes convaincus qu'il n'est pas possible de maîtriser ce type d'épreuve en se contentant d'appliquer des recettes. Notre ouvrage est donc organisé autour de deux objectifs complémentaires, l'un proche, la définition de l'exercice, et l'autre lointain, mais capital, la formation du regard. Il cherche à répondre aux questions clés du commentaire composé : *Comment trouver ce qu'il y a à dire ? Comment l'organiser ? Comment le dire ?*

1 Les règles du jeu

Dans cette première partie, nous examinerons *ce qu'est* le commentaire composé et *ce qu'il n'est pas*, puis après avoir envisagé quelques *situations types*, nous répondrons à quelques-unes des *objections* qui reviennent souvent sur vos lèvres.

Pour en faciliter la consultation, nous avons reporté les Instructions officielles à la fin de l'ouvrage (p. 155), mais il pourra être utile de s'y référer pour compléter nos explications.

CE QU'EST LE COMMENTAIRE COMPOSÉ

Nous nous proposons de donner ci-dessous une définition du commentaire composé dont tous les mots clés seront ensuite expliqués. Cette explication ne pourra, cependant, que se limiter, dans l'immédiat, à des indications. C'est, en effet, l'ensemble de notre livre qui se propose de la mener à bien.

> Le commentaire composé est un développement *construit* et entièrement *rédigé* portant sur *un texte littéraire* et montrant comment la combinaison des différents *procédés de style* mis en œuvre dans ce texte contribue à *produire un effet* donné sur le lecteur. Le candidat est aidé dans sa recherche par *la recommandation* qui suit le texte à commenter.

Nous nous arrêterons donc sur les expressions clés de ce texte, qui seront commentées dans l'ordre où elles apparaissent, c'est-à-dire :

1. construit,
2. rédigé,
3. un texte littéraire,

4. des procédés de style,
5. produire un effet,
6. la recommandation.

1. Construit

Le commentaire composé est un *développement construit*, et vous l'oubliez trop souvent. Une grande partie des critiques portées sur les copies concerne ce problème de la construction du devoir. De nombreux candidats se contentent de suivre le texte ligne à ligne, quand ce n'est pas mot à mot, ce qui est fermement déconseillé. Dans d'autres cas, votre développement est si décousu qu'il ne traduit que votre propre désarroi.

Il est donc indispensable de construire. Dans cette construction, il faut distinguer le *schéma d'ensemble* et le *plan* proprement dit.

Le *schéma d'ensemble* est l'organisation que l'on doit retrouver dans tout commentaire, quel que soit le texte de départ, et qui se retrouve dans la dissertation. C'est la séquence bien connue : INTRODUCTION/CORPS DU DEVOIR/CONCLUSION.

Le *plan* correspond à l'organisation des matériaux à l'intérieur du corps du devoir. A la différence du schéma d'ensemble, il ne peut pas être ramené à une structure passe-partout. Il n'y a donc pas de plan type, pas de recette. Simplement, vos remarques doivent être regroupées autour de quelques centres d'intérêt.

Tout commentaire composé doit donc pouvoir se ramener au schéma ci-après (cf. p. 8).

2. Rédigé

Comme une dissertation, le commentaire composé doit être *entièrement rédigé*.

Le style télégraphique est proscrit. Les parties doivent être suffisamment nettes pour qu'il ne soit pas utile d'y mettre des titres. Il faut veiller, toujours comme dans la dissertation, à ce qu'elles s'enchaînent.

Lorsque, pour étayer sa démonstration, le candidat cite des fragments du texte commenté, ces fragments mis entre guillemets doivent être intégrés dans le développement. Des fragments courts peuvent être mis entre parenthèses, mais de telle sorte que le fil du discours ne soit pas rompu.

Schéma d'un commentaire composé

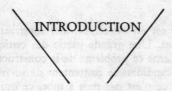

INTRODUCTION

PREMIER CENTRE D'INTÉRÊT

DEUXIÈME CENTRE D'INTÉRÊT[1]

CORPS DU DEVOIR

TROISIÈME CENTRE D'INTÉRÊT

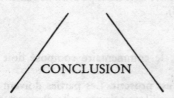

CONCLUSION

---

1. Le commentaire composé peut ne comporter que deux centres d'intérêt ou en comporter quatre. Au-delà de quatre, il est bon de procéder à des regroupements afin de ne pas donner une impression d'éclatement.

Enfin, bien sûr, l'ensemble doit être écrit dans une langue correcte et si possible élégante.

3. Un texte littéraire

Pour expliquer en quoi un texte littéraire se distingue d'un texte qui ne l'est pas, Roger Caillois raconte l'anecdote suivante. Sur un pont de New York, un aveugle assis devant une pancarte où était inscrit « *Aveugle de naissance* » ne récoltait que deux dollars par jour. Un inconnu retourna la pancarte et écrivit : « *Le printemps va venir, je ne le verrai pas.* » Les gains de cet aveugle furent alors quintuplés.

Dans le premier cas, le passant ne recevait qu'une information neutre et même si « usée » qu'il la percevait à peine et passait son chemin. Dans le second cas, un message plus élaboré l'interpelle littéralement. « *Aveugle de naissance*, explique Caillois, n'est qu'une étiquette : exacte, précise, mais sans pouvoir sur l'imagination et la sensibilité. Au contraire, la phrase de l'inconnu saisit chacun de l'horreur d'être aveugle. Elle représente ce que fait perdre la cécité ; elle le montre non point dans le général et dans l'abstrait, mais vivement et à chaque passant personnellement, à l'aide d'un cas particulier, qu'il n'a le moyen ni de récuser ni d'écarter et qui possède la force de l'évidence. Elle contraint d'apercevoir cette splendeur du printemps dont l'aveugle sera privé. Elle force d'être pitoyable et fait sentir qu'il convient de compenser de quelque façon une si terrible disgrâce[1]. »

A titre provisoire, nous dirons donc qu'un texte littéraire est un texte qui cherche à agir sur le lecteur autrement que par la simple transmission d'une information.

4. Des procédés de style

Dans le cas de l'aveugle évoqué ci-dessus, la transformation du message en a modifié la portée. Elle a contribué à augmenter l'émotion ressentie par les passants. L'intervention de celui qui élabore le message peut aller dans un sens opposé. Si, par exemple, au lieu de dire à quelqu'un « *votre frère est mort* », je choisis de dire « *votre frère est au plus mal* », sachant pourtant

---

1. *Approches de la poésie*, Gallimard, 1978, p. 98. Les quelques lignes que nous citons sont un excellent exemple de commentaire d'un fait de style.

qu'il comprendra la vérité, c'est avec l'intention d'atténuer le choc.

Mais, dans les deux cas, le processus est le même. Il n'y a pas simple transmission d'une information. Une intervention sur le mode de présentation du message a modifié l'effet produit. Nous sommes déjà sur le chemin de la littérature.

Chaque fois que celui qui émet un message s'exprime de façon à produire un effet que ne produirait pas la simple transmission de l'information, il a recours à un ou plusieurs *procédés de style*[1].

Arrêtons-nous, à titre d'exemple, sur le procédé qui consiste à avoir recours à des images. Un homme politique canadien disait, il y a quelques années, à propos des rapports du Canada et du Québec : « *C'est comme un couple. Si l'on ne peut plus dormir ensemble, il vaut mieux avoir des lits séparés.* » Il avait recours à un procédé de style (la comparaison) qui donnait plus de force et de vivacité à son idée, d'où un impact plus fort sur ceux qui recevaient le message.

Voici maintenant un homme politique français qui parle des membres d'un parti allié mais concurrent : « *Ces messieurs du... sont comme les cobras, pleins de venin, toujours menaçants, mais il suffit d'un petit coup de flûte pour les rendre inoffensifs.* » La figure de style est la même. Il s'agit toujours d'une comparaison, mais l'effet recherché est différent. L'auteur de la formule cherche à faire rire aux dépens de ceux dont il parle.

Un romancier contemporain, Frédéric Dard, veut expliquer pourquoi il est difficile de décrire sa vie intérieure : « *C'est assez difficile à expliquer, car on ne construit pas des nuages de pierre. Or les mots sont en pierre et nos sentiments en barbe à papa.* » Le recours à l'image, outre qu'il donne plus de vivacité à l'exposé, a pour but ici de rendre plus claire l'explication.

Nous avons bien, dans ces trois cas, un travail sur le mode de présentation du message en vue de produire un effet donné. C'est, à un niveau simple, ce qu'on appelle le travail du style.

Ces figures de style dont nous venons de donner quelques exemples sont multiples, complexes, difficiles à classer. Nous

---

1. Nous avons recours à l'expression « procédé de style » parce qu'elle est pour vous d'une compréhension immédiate. Elle a cependant l'inconvénient d'évoquer l'idée d'une recette, de laisser penser que l'écrivain se contente de puiser dans un arsenal de moyens à sa disposition comme on cherche un mot dans un dictionnaire. Or il n'en est rien. Les procédés de style s'usent à force d'être employés et le propre du créateur est d'inventer des moyens nouveaux.

leur consacrerons un chapitre entier pour vous permettre de les identifier.

Mais, dès maintenant, vous devez comprendre que dans un texte littéraire nous avons une *combinaison* de différents procédés de style pour produire un effet. Un texte est comme une sorte de réseau d'idées et de figures de style qui convergent vers la production d'un effet global sur le lecteur. Une toile d'araignée où tout se tient et dans les fils de laquelle le lecteur sensible sera momentanément prisonnier.

5. Produire un effet

Nous avons suffisamment insisté, dans les deux rubriques précédentes, sur la recherche d'un effet par l'écrivain, pour ne pas avoir à y revenir. Nous nous contenterons donc de deux indications complémentaires.

Tout d'abord, *l'effet* produit peut, dans certains cas, être différent de l'effet recherché. Un journaliste sportif écrit par exemple, dans un style plein d'images : « *Il convenait aussi, selon le schéma tactique fomenté la veille, de ne pas partir baïonnette au canon, poitrine en avant, afin d'éviter de se faire poignarder dans le dos par le cheval fou Boniek, et son maître de manège Platini.* » Le télescopage des images produit un effet comique qui n'était certainement pas voulu. Le lecteur, en effet, est en droit de se demander comment on peut être poignardé par un cheval, même fou.

Par ailleurs, dès maintenant, nous pouvons vous donner un conseil sur un point de méthode important. Vous ne devez pas, au cours de l'analyse d'un texte, relever les procédés de style sans, en même temps, montrer l'effet qu'ils produisent. On lit souvent dans les copies : « L'auteur utilise de nombreuses images... » ; « La phrase est longue et complexe... » ; « Le vocabulaire est des plus simples... » Ce type d'énumération est fastidieux. Un procédé de style n'est qu'un moyen. Dans l'analyse, il ne doit jamais être séparé de la fin qui le justifie.

VOUS NE DEVEZ JAMAIS ÉVOQUER UN PROCÉDÉ DE STYLE SANS TENTER DE PRÉCISER L'EFFET QU'IL PRODUIT.

6. La recommandation accompagnant le sujet

Les libellés de la recommandation accompagnant le texte à commenter sont de types très divers. Certains sont volontairement très flous pour laisser au candidat une totale liberté. D'autres indiquent des axes de recherche qui peuvent servir à organiser le commentaire. Enfin, il en est d'autres qui se contentent de rappeler qu'il faut absolument éviter d'étudier le «fond» dans une première partie pour passer ensuite à la «forme».

En ce qui concerne ce libellé, deux points de méthode sont importants :

● Sauf quand il interdit le plan fond/forme, *le libellé de la recommandation n'est jamais une contrainte*. Vous êtes tout à fait autorisé à ne pas tenir compte des directions proposées. On vous indique une route possible ; on ne vous oblige pas à la prendre. En aucun cas, vous ne serez sanctionné négativement pour avoir organisé votre commentaire en négligeant les balises qui indiquent une voie éventuelle.

● Si vous décidez de tenir compte des indications contenues dans le libellé, vous devez éviter de vous y raccrocher d'une façon trop artificielle. Certains candidats reprennent les mots mêmes du libellé dans l'introduction, au début des parties et dans la conclusion. L'impression est fâcheuse. On vous demande une certaine autonomie devant le texte : il faut donc éviter une soumission trop servile aux suggestions du libellé.

CE QUE LE COMMENTAIRE COMPOSÉ N'EST PAS

Le commentaire composé est donc un exposé construit qui analyse l'effet produit par un texte et les procédés utilisés pour obtenir cet effet. Il ne doit pas être confondu avec d'autres exercices, comme c'est parfois le cas.

1. Le commentaire composé n'est pas la discussion d'une idée du texte

On appelle «discussion» la seconde partie du premier sujet (résumé et discussion). Il s'agit d'une petite dissertation portant sur l'une des idées du texte qui vient d'être résumé.

Le commentaire composé ne ressemble en rien à cet exercice. Si, par exemple, le texte à commenter se rattache plus ou moins à l'idée de progrès, vous n'avez pas à engager une controverse sur cette question. Ce n'est pas votre avis sur le progrès qui intéresse le correcteur, mais votre avis sur le texte.

2. Le commentaire composé n'est pas un exercice de paraphrase

Vous ne pouvez pas vous contenter de formuler en d'autres termes ce que dit l'auteur, de doubler le passage à commenter d'un discours parallèle. Les commentaires dans le genre : « L'auteur dit que... ensuite il affirme que... On voit bien que... » sont ennuyeux parce qu'inutiles. Il est bon, nous le verrons, de dégager l'idée générale, le mouvement du texte, ce qui constitue, d'une certaine façon, une paraphrase, mais cela doit être fait rapidement afin de préparer le terrain pour l'étude des procédés de style.

3. Le commentaire composé n'est pas un cours d'histoire littéraire

D'une façon surprenante, les connaissances que vous avez en histoire littéraire vous gênent plus souvent qu'elles ne vous aident. Vous avez parfois quelques idées sur un auteur, en général assez schématiques, et vous les plaquez artificiellement sur le texte. Au lieu de vous aider à découvrir ce qu'il y a réellement dans les lignes à étudier, vos connaissances font écran et nuisent à la fraîcheur de votre regard.

Les citations posent un problème du même type. Oubliez cette idée fausse selon laquelle une dissertation ou un commentaire ne sont qu'un assemblage habile de citations gardées en mémoire ou fabriquées pour les besoins de la cause. Leur présence ne se justifie que lorsqu'elles sont étroitement en relation avec votre développement.

Cela ne veut pas dire qu'il ne soit pas utile de posséder une culture littéraire. Il paraît même difficile de faire un bon commentaire composé sans elle. Mais ce autour de quoi tout doit tourner, c'est le TEXTE.

Observez le passage qui vous est soumis d'un regard neuf. Faites travailler votre sens de l'observation et non votre mémoire. Sinon, vous risquez de trouver ironique un texte de Voltaire qui ne l'est pas du tout, ou grandiloquent un poème de Victor Hugo qui est la simplicité même.

4. Le commentaire composé n'est pas un résumé

Que le commentaire composé soit un exercice différent du résumé, vous le savez. Il se trouve même aux antipodes de cet exercice. Une comparaison systématique nous sera cependant utile pour la suite de l'exposé.

● *Le résumé* porte sur des textes d'idées, c'est-à-dire des textes dans lesquels un certain nombre d'opinions sont exprimées dans une langue relativement neutre en ce qui concerne le style. Vous n'avez pas à apprécier les idées de l'auteur, à formuler un jugement sur la manière dont il procède pour présenter sa thèse. Votre rôle se ramène simplement à donner un abrégé de sa pensée.

● *Le commentaire composé* porte sur des textes dont l'intérêt fondamental vient de ce qu'ils expriment un SENS A TRAVERS UN TRAVAIL SUR LA LANGUE destiné à produire un EFFET sur le lecteur. On parlera alors non plus de « textes d'idées », mais de « textes littéraires ». Ou encore, du fait du rôle important joué par le style, de textes « stylistiquement marqués ». Votre développement doit concerner étroitement ce travail de la transmission du sens à travers la production stylistique d'« effets » qui rendent toujours singuliers une page d'auteur, un livre ou une œuvre littéraire.

Par ailleurs, à la différence du cas précédent, vous ne vous effacez pas complètement derrière l'auteur. Vous êtes autorisé à exprimer vos goûts, votre avis. Vous y êtes même invité pour donner une certaine chaleur à votre analyse.

Enfin, conséquence des différences évoquées ci-dessus, le commentaire est toujours plus long que le texte à commenter, alors que, par définition, la contraction est toujours plus courte que le texte de départ.

L'opposition radicale entre les deux exercices peut être ramenée au schéma suivant :

Résumé	Commentaire composé
Porte sur un « texte d'idées ».	Porte sur un « texte littéraire ».
On se limite à résumer les idées.	On s'attache à étudier l'expression du sens par le style.
Pas de point de vue personnel.	Le correcteur apprécie un point de vue personnel.
Développement de l'élève plus court que le texte de départ.	Développement de l'élève plus long que le texte de départ.

5. En marge des copies

Les remarques qui reviennent le plus souvent sur les copies concernent le plan, la paraphrase (répétition verbeuse du texte), le recours à des références littéraires ou à des citations peu en rapport avec le développement, sans compter bien sûr tout ce qui touche à l'expression et à l'orthographe. Pour être complet, il faut relever d'autres observations concernant l'introduction, le corps du devoir et la conclusion.

L'*introduction* est parfois tout simplement absente. Ou bien elle ne respecte pas les conventions, en n'indiquant pas le nom de l'auteur et les références du texte à commenter. Il lui arrive de ne pas annoncer les axes du développement ou de les annoncer trop pesamment, ou même encore d'annoncer des directions qui ne sont pas suivies.

Le *corps du devoir* peut être trop long, ce qui conduit à des répétitions. Il comporte parfois de véritables contresens sur des mots clés du texte. Dans certains cas, l'on constate aussi que des pans entiers du passage à commenter sont oubliés.

Les correcteurs reprochent parfois aux candidats une trop grande sécheresse dans l'analyse. Nous consacrerons ultérieurement quelques lignes à la nécessité pour le candidat de ressentir le texte avant de l'analyser.

La *conclusion* est parfois absente, souvent répétitive et quelquefois, comme cela se produit pour l'introduction, elle essaie maladroitement d'intégrer le texte même du libellé.

Le retour régulier de ces mêmes remarques nous a incité à imaginer des appréciations récapitulatives se rapportant d'une part à une très mauvaise copie et d'autre part à la copie idéale.

LE PIRE...

Le texte est amené d'une façon artificielle et n'est pas toujours parfaitement compris. Le commentaire n'est pas construit ; il n'est fait que d'un bavardage au fil du texte avec une tentative bien maladroite pour se raccrocher au libellé du sujet dans les dernières lignes. Des citations que rien ne justifie et un paragraphe tout à fait hors sujet plaqué au milieu du développement alourdissent encore l'ensemble. Le texte n'est ni véritablement lu, ni senti. L'expression et l'orthographe laissent vraiment à désirer.

...ET LE MEILLEUR

Commentaire bien organisé. L'introduction suggère le plan sans trop s'appesantir. Les observations toujours judicieuses sont regroupées dans des parties nettes et distinctes mais enchaînées avec soin. Le candidat, qui fait preuve à la fois de sensibilité et de rigueur, soutient son raisonnement en s'appuyant fréquemment sur le texte. Sa culture littéraire lui permet quelques références remarquablement adaptées. L'expression est claire, élégante sans être prétentieuse.

DIFFÉRENTS TYPES DE SITUATIONS

1. Textes autonomes et extraits

Le commentaire composé peut porter sur des textes autonomes ou sur des extraits.

● Les *textes autonomes* sont le plus souvent des poèmes (en vers ou en prose), des lettres ou des fables. Ils ont leur unité et peuvent être étudiés strictement en eux-mêmes.

Il n'est pas interdit, pour les poèmes, de faire entrer en ligne de compte la place qu'ils occupent dans un recueil, mais cela restera toujours accessoire.

Les textes autonomes présentent la situation la plus simple pour le commentateur. Ils ont été voulus tels, ils constituent une sorte d'unité de sens dont il suffira d'expliciter la richesse.

• Les *extraits* présentent une situation beaucoup plus complexe. Extraire vingt ou trente lignes d'un roman constitue tout d'abord un exercice assez artificiel. Un roman, une pièce de théâtre, un long poème constituent un tout. Chaque page a une fonction dans un ensemble et, de plus, elle reçoit des éclairages particuliers de ce qui précède et de ce qui suit. Dans un commentaire d'une œuvre au programme, vous devriez donc tenir compte de cette insertion du texte dans un réseau.

Mais, comme vous le savez, les épreuves du baccalauréat ne portent pas sur un programme. Par conséquent, tous les extraits sont choisis de telle sorte qu'ils puissent être étudiés comme des textes autonomes. Ils sont, par ailleurs, quand cela s'avère nécessaire, précédés d'une courte mise en situation qui en facilite la compréhension.

Un cas particulier se présente lorsque les extraits sont tirés d'œuvres très connues comme *Le Père Goriot*, *Le Rouge et le Noir*, *Madame Bovary*, *Germinal*. Les extraits d'œuvres de cette sorte peuvent évidemment être étudiés comme des textes autonomes, mais le correcteur sera toujours un peu déçu de constater l'absence totale de mise en rapport avec l'ensemble.

Si l'on choisit de se référer à l'œuvre complète, il faudra cependant veiller à ne pas pécher par excès. Les allusions à l'œuvre ne doivent pas devenir envahissantes, l'essentiel restant bien l'analyse des lignes soumises à votre examen.

2. Références culturelles

Lorsque vous êtes en présence d'un texte, vous pouvez vous trouver dans deux situations radicalement différentes :

1. Vous ne savez absolument rien sur l'auteur. Seule la date qui accompagne le texte vous permet de le situer sur la ligne du temps.

2. Vous connaissez l'auteur et même l'époque à laquelle il a vécu. Le texte s'insère immédiatement pour vous dans un courant littéraire.

Nous examinerons successivement ces deux cas.

• *Si vous ne savez absolument rien sur l'auteur et l'époque*, cela ne doit pas automatiquement vous inciter à rejeter l'exercice. Il faudra simplement vous en tenir au texte de façon à éviter de commettre des confusions en parlant de ce que vous ignorez.

Nous vous montrerons, par la suite, comment il est tout à fait possible, dans ce cas, de construire une introduction.

• *Si vous avez une certaine connaissance de l'auteur et de l'époque*, elle vous sera souvent d'un grand secours. Car, à l'examen, le temps passe si vite qu'il s'agit autant de retrouver que de trouver.

Cependant, n'oubliez pas ce que nous disons plus haut. Vos connaissances sont souvent schématiques et vous êtes parfois si soucieux d'en faire étalage que vous en oubliez de regarder le texte innocemment.

Ces considérations sur deux situations d'examen ne doivent cependant pas laisser croire qu'on peut faire un bon commentaire sans connaissances littéraires. On peut ne pas connaître l'auteur et réussir l'épreuve, mais la réussite se fonde toujours sur la possession d'une culture littéraire authentique.

RÉPONSE A CERTAINES DE VOS OBJECTIONS

Après cette partie un peu dogmatique, nous comptons vous entraîner dans un véritable apprentissage, mais auparavant nous souhaitons répondre à quelques-unes de vos objections.

A propos de l'étude minutieuse des textes, vous faites en effet souvent preuve de réticence. Cette attitude peut se ramener à trois questions, présentées ici dans leur formulation habituelle :

— « Mais l'auteur ne pensait pas à tout cela lorsqu'il écrivait. »

— « Vous, professeur, vous voyez une quantité de choses dans le texte, mais, moi, je ne les vois pas. »

— « A quoi ça sert ? »

1. Mais l'auteur ne pensait pas à tout cela lorsqu'il écrivait

Vous avez raison. La création littéraire résulte d'un mélange complexe d'activités conscientes et inconscientes entre lesquelles il est bien difficile de tracer une ligne de partage. La part du conscient est plus importante chez certains écrivains que chez d'autres, mais aucun ne travaille dans une totale lucidité, calculant posément les effets qu'il veut produire sur le lecteur. C'est vrai, « l'auteur ne pensait pas à tout cela », mais c'est peu important pour ce qui nous concerne.

Un texte est un ensemble de mots disposés en un certain ordre dans un certain espace. Il faut l'étudier comme tel sans chercher à déterminer d'emblée la part du conscient et celle de l'inconscient dans sa création, problème destiné à demeurer partiellement insoluble.

Ces mots, agencés en un certain ordre, produisent sur vous un *effet*, une *impression*. Il faut partir de cette impression globale et ensuite chercher à savoir ce qui, dans le choix de ces mots et dans leur organisation, a pu agir sur vous de la sorte.

2. Vous, vous voyez une quantité de choses dans le texte, mais, moi, je ne les vois pas

J'ai trouvé la réponse à cette objection souvent formulée par les élèves en me promenant avec un chasseur. Il me désignait à droite, à gauche, devant moi, des animaux dont l'existence m'avait jusque-là complètement échappé. J'ai alors pensé que je ressemblais à mes élèves qui ne voyaient pas dans les textes, avant que je ne les montre, des choses pour moi évidentes. Par l'entraînement et la pratique, ce chasseur avait amélioré l'acuité de son regard et sans doute, si j'avais continué à chasser avec lui aurais-je fait de même.

Le travail systématique sur des textes peut progressivement vous amener à déceler au premier coup d'œil ce qui échappe au profane. Le travail en classe ressemble à l'entraînement dirigé vers l'amélioration des performances. L'examen correspond à l'épreuve destinée à mesurer le niveau atteint.

Ce livre, comme nous l'avons indiqué dans l'introduction, doit lui-même vous aider dans cette préparation lointaine destinée à améliorer la qualité de vos réflexes.

3. A quoi ça sert?

Les lignes qui précèdent sont déjà une réponse partielle à cette question. Le travail sur des textes littéraires, l'explicitation de ce que vous ressentez, l'examen attentif des procédés mis en œuvre améliorent votre aptitude à percevoir les multiples richesses d'un texte.

Cette aptitude est directement requise dans certaines professions. Le traducteur, par exemple, pour rendre dans une autre langue le sens et toutes les résonances d'un texte, doit au préalable les percevoir. Pensons aussi à l'acteur en train de lire son rôle.

D'une façon plus générale, cette plus grande ouverture aux sollicitations du texte vous prépare à comprendre et à apprécier des messages de toutes sortes ; non pas seulement les messages d'ordre littéraire, mais tous ceux émanant du monde qui vous entoure : monde du cinéma ou plus généralement des médias, de la publicité, de la politique ou, tout simplement, votre entourage immédiat. Cette plus grande compréhension peut être source de plaisir esthétique, mais elle peut aussi vous rendre plus lucide et, par là, moins susceptible d'être égaré par les ruses du langage.

Enfin, de nombreuses activités, comme le journalisme et la publicité, exigent aujourd'hui une certaine créativité au niveau du langage. L'étude de la création des autres n'a jamais suffi pour apprendre à écrire. Elle constitue cependant le meilleur des apprentissages. Les grands peintres du passé commençaient par étudier et même par copier leurs prédécesseurs. Cela ne les empêchait pas, dans un second temps, de faire œuvre originale.

Au terme de ce premier chapitre, vous savez ce que souhaitent vos professeurs, et vous avez surtout acquis quelques informations sur ce que le commentaire composé n'est pas. Nous allons maintenant, pour gagner du temps dans l'étude des textes et pour vous donner une idée plus précise de ce qu'est la création littéraire, nous arrêter sur les principaux procédés de style.

2 Les notions de base

Le commentaire composé n'est pas, comme nous venons de le voir, un résumé ou une discussion des idées du texte. Il doit essentiellement porter sur le travail du style, c'est-à-dire sur l'ensemble des moyens utilisés par l'écrivain pour produire un effet sur le lecteur.

Ces moyens sont multiples, complexes, parfois difficiles à analyser. Votre premier travail va consister à interroger le texte, à l'ausculter de telle sorte que, progressivement, la mise en œuvre de ces procédés et leur convergence vous apparaissent.

Mais, pour comprendre ce travail sur la langue, il est nécessaire de savoir comment celle-ci fonctionne. Et pour repérer les procédés de style, il est bon, évidemment, de les connaître.

Nous ne pourrons pas, dans ce chapitre, vous apporter toutes les notions nécessaires, mais nous vous indiquerons le travail de recherche (à nos yeux indispensable) que doit faire tout candidat qui veut acquérir la certitude de réussir son commentaire.

FONCTION UTILITAIRE ET FONCTION POÉTIQUE DU LANGAGE

1. La langue comme moyen de transmettre une information

Dans de nombreuses situations, le recours au langage a seulement pour but la transmission d'une information. Les mots ne servent qu'à véhiculer un sens et ils s'évanouissent aussitôt qu'ils ont joué leur rôle de commis voyageurs de l'idée. Le message n'agit sur le destinataire que par son contenu.

On pourrait citer, à titre d'exemples, les théorèmes que vous apprenez en mathématique, les modes d'emploi des produits du

commerce, le contenu des manuels scolaires ou des dictionnaires, les textes de loi, les contrats de toutes sortes, bref, tout
ce qui peut se réduire à un « texte d'idées ».

Tout en sachant qu'elle existe rarement à l'état pur, nous
appellerons *langue utilitaire* cette langue strictement informa-
tive et idéalement monosémique[1].

2. La langue comme musique

Une amie nous racontait que, lisant à haute voix un poème en
espagnol, elle a vu un petit enfant qui se trouvait à proximité se
mettre à danser. Cet enfant ignorant totalement cette langue, ce
n'est pas le sens du texte qui a pu agir sur lui, mais les seuls
éléments phoniques (les sons) et rythmiques. Le poème, réduit
à sa seule matérialité, cesse pour l'enfant d'être langage et
devient musique, comme le prouve la danse qu'il provoque.

Les comptines du type « amstram' gram' pic et pic et
colégram' » fournissent d'autres exemples d'une langue réduite à
sa seule musique.

Certains poètes ont recherché une poésie évacuant complètement le sens et se ramenant à une pure musique. Il semble que
ce soit là une impasse. Nous ne citerons le « Rondeau » de
Maurice Lemaître qu'à titre de curiosité :

RONDEAU

Yolé rakli clopli moèl
Darol laplul térol épli
Soas séti soké sépli
Séôs sarsi sursé soèl.

Joj éjijou ajé joèl
Jaj ojéjin ôji jupli
Yolé rakli clopli toèl
Doral laplil jérol upli

Klosèksinne éksin ksavèl
Ksoaksô èksi ksoépli
Déral loplul kéral opli
Yalu rakli clépli ploèl.

Maurice Lemaître
(paru dans *Poésie Nouvelle*, n° 9, 1959, p. 3.)

---

1. *Monosémique* : qui ne véhicule qu'un seul sens ; par opposition à *polysémique* :
qui véhicule plusieurs sens.

Dans ce poème, comme dans les comptines, il n'y a plus une once de sens, même plus de mot reconnaissable. Nous ne sommes plus, à proprement parler, en présence d'un langage. Le « texte », si l'on peut encore parler de texte, n'est constitué que de l'agencement des sons et des rythmes.

3. La langue littéraire

Nous venons d'évoquer deux emplois diamétralement opposés de la langue.

La langue littéraire correspond à une situation intermédiaire. Elle se distingue de la langue utilitaire dans la mesure où elle n'a pas pour objectif prioritaire la volonté de communiquer une information claire et unique. Mais elle n'évacue pas totalement le sens, sauf dans quelques cas limites comme celui que nous évoquons ci-dessus et que nous laisserons de côté puisque ce type de texte n'est jamais proposé à l'examen.

La langue littéraire cherche à agir sur le lecteur à la fois par le sens et par sa réalité physique (essentiellement les effets sonores et accessoirement le graphisme). Comme le dit Valéry, « Le poète est un politique qui use de deux majorités ». Le texte littéraire naît de l'heureuse conjonction d'une forme et d'un sens.

La langue littéraire se distingue aussi de la langue utilitaire dans la mesure où, le plus souvent, elle ne se contente pas de véhiculer un message transparent. Elle cherche autant à suggérer qu'à informer, et s'il est possible d'extraire un « contenu » d'un texte littéraire, celui-ci est fréquemment chargé de significations multiples. Musset attirait l'attention sur ce point quand il écrivait : « Dans tout vers remarquable d'un grand poète il y a deux ou trois fois plus que ce qui est dit. » L'essentiel n'est d'ailleurs pas dans cette information, même multiple, mais dans la production d'un *effet* global sur le lecteur.

Cet effet global résulte de la convergence d'effets divers, obtenus en utilisant au maximum les ressources offertes par la langue, qui ne se réduisent pas aux effets musicaux.

Nous distinguerons quelques-uns de ces effets dans la suite de l'exposé, comme les effets graphiques, les effets sonores, les effets de rythme, les effets produits par l'utilisation d'images, les effets de construction, etc. Au préalable, il est bon de préciser que si la langue littéraire est une *langue à effets*, elle n'est pas la seule dans ce cas. La langue de la publicité comme celle de la propagande, avec des objectifs différents (mais, en fin de compte, il s'agit toujours d'une séduction), utilisent aussi des ressources de la langue autres que la possibilité de véhiculer une information. Même dans la langue de tous les jours, nous cherchons à produire des effets en utilisant plus ou moins spontanément des procédés identiques à ceux mis en œuvre dans la langue littéraire.

Cette première approche des différentes utilisations de la langue nous permet d'établir le schéma suivant, après quoi nous nous arrêterons sur les principaux effets recherchés par la langue littéraire et sur les procédés correspondants.

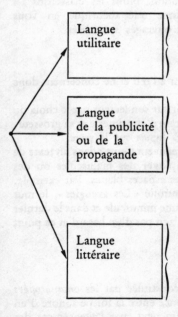

Langue utilitaire	Véhicule une information d'une manière neutre (autant que possible). Le cas limite est représenté par le langage mathématique.
Langue de la publicité ou de la propagande	C'est une langue à effets. On utilise toutes les possibilités de la langue (et de l'image) pour provoquer un comportement précis : achat d'un produit pour la publicité, changement d'attitude pour la propagande.
Langue littéraire	C'est aussi une langue à effets. La recherche d'un effet est aussi importante que pour la publicité et la propagande, mais elle est souvent moins consciente et plus complexe. On cherche à agir sur la sensibilité pour émouvoir, faire rire, inciter à l'action, faire partager son inquiétude ou sa joie, etc.

La langue de tous les jours jouit d'un statut un peu à part puisqu'elle peut être simplement utilitaire, mais qu'elle comporte aussi, très souvent, une recherche d'effets. Il s'agit dans ce cas de créer un certain type de rapports et, parfois, de susciter un comportement donné.

Dans les lignes qui suivent, nous analyserons les principaux types d'effets, en commençant par les plus simples et les plus faciles à classer.

LES PRINCIPAUX TYPES D'EFFETS

Nous avons déjà évoqué dans le chapitre précédent (p. 9) les *procédés de style* ou les *figures de style* appelées parfois simplement *figures* par abréviation. Nous les classerons ici d'une façon plutôt pédagogique que théorique en vous renvoyant pour l'essentiel aux ouvrages spécialisés.

1. Les effets graphiques

Les effets graphiques s'adressent à l'œil et ne concernent donc que la littérature écrite.

L'écrivain peut chercher à agir sur son lecteur par le choix du papier (grain, couleur), le caractère d'imprimerie et sa grosseur, la disposition des mots ou des lignes sur la page.

Pour se limiter aux effets qui peuvent figurer dans un texte de baccalauréat, l'auteur peut employer des majuscules ou des italiques ou encore jouer sur les espaces blancs. Par exemple, dans le sonnet de Baudelaire intitulé « Les aveugles », le mot « ciel » est utilisé au vers 7 avec une minuscule et dans le dernier vers avec une majuscule. Il ne s'agit pas d'un hasard et ce point doit être commenté.

2. Les effets sonores

Il n'y a pas, sauf l'exception constituée par les *onomatopées* (cocorico, glouglou), ressemblance entre la forme sonore d'un mot et son sens. Mais l'écrivain peut, par l'agencement des mots, créer de telles ressemblances. On parlera, dans ce cas, d'*harmonie imitative*. C'est ainsi que procède, par exemple, Henri de Régnier pour suggérer le roucoulement des oiseaux dont il parle :

« Les colombes volaient autour des tourterelles
Et le retour des tourterelles
Etait si proche qu'elles roucoulaient dans mon âme[1]. »

Lorsqu'un auteur produit un effet par la répétition à intervalles rapprochés, on parle d'*assonance*. Lorsque l'effet est produit par la répétition de consonnes, on parle d'*allitération*.

Le mot « allitération » est parfois pris en un sens large qui englobe le sens du mot « assonance » donné ci-dessus.

Dans le texte d'Henri de Régnier cité précédemment, le jeu sur les *our*, les *ou*, les *r* et les *l* suggère le roucoulement et le vol des oiseaux.

L'écrivain cherchera aussi à éviter les rencontres désagréables de sonorités (cacophonie) et à obtenir des combinaisons de sons agréables (euphonie). Il peut cependant rechercher la cacophonie pour faire rire ou pour provoquer un effet donné.

Quand il écrit en vers, il est aussi très sensible à cette sonorité particulière qu'est la rime.

VOCABULAIRE A VÉRIFIER

Allitération, assonance (deux sens), cacophonie, euphonie, harmonie imitative, hiatus, onomatopée, rime.

3. Les effets de rythme

L'écrivain peut aussi produire un effet par le rythme d'une phrase ou d'un passage. Un personnage profondément ému, dont le rythme respiratoire est de ce fait perturbé, s'exprimera par des phrases au rythme heurté. Le paroxysme de l'émotion peut même provoquer une sorte de désagrégation de la phrase. A l'opposé, une phrase très construite, équilibrée et jouant sur les rythmes binaires et ternaires (ce qu'on appelle une période), donnera un sentiment de maîtrise de soi et parfois celui d'une certaine majesté.

Les effets de rythme sont particulièrement nets dans les textes écrits en vers. Les règles de la versification, autrefois assez strictes, se sont relâchées au point qu'on distingue aujourd'hui les textes en *vers* et la *prose*, et, situé entre ces deux extrêmes, le *vers libre* ou la *prose poétique*.

---

1. Henri de Régnier, *Tel qu'en songe*, cité par Morier dans son *Dictionnaire de poétique et de rhétorique*, P.U.F., 1975, p. 317.

Les vers sont désignés en fonction du nombre de syllabes (8 : *octosyllabe* ; 10 : *décasyllabe* ; 12 : *alexandrin*). A noter qu'il faut parler de syllabes et non de pieds à propos de la poésie française.

L'alexandrin classique jusqu'à la fin du XIX⁰ siècle était toujours coupé en son milieu par une légère pause appelée la *césure* qui sépare le premier *hémistiche* du second.

six syllabes	/	six syllabes
PREMIER HÉMISTICHE	CÉSURE	SECOND HÉMISTICHE

Exemple :

« Je n'écoute plus rien ;
Pour jamais ! Ah ! Seigneur,
Combien ce mot cruel
Dans un mois, dans un an,

| CÉSURE

et pour jamais adieu,
songez-vous en vous-même
est affreux quand on aime ?
comment souffrirons-nous[1] ? »

Les vers sont, le plus souvent, terminés par des *rimes*. La position privilégiée de cette sonorité et sa répétition lui donnent une importance particulière, et c'est pourquoi nous en avons parlé à propos des effets sonores. Mais la rime a aussi pour fonction d'annoncer la fin du vers (marquée par une pause plus ou moins importante). De ce fait, la rime participe aussi aux effets de rythme.

Les rimes sont considérées comme d'autant plus riches qu'elles possèdent un plus grand nombre de sonorités en commun.

On s'intéresse souvent à leur disposition, en distinguant les rimes *plates* (aa, bb, cc), les rimes *croisées* ou *alternées* (abab) et les rimes *embrassées* (abba).

On distingue aussi les rimes *masculines* qui se terminent par une voyelle autre que le *e* muet et les rimes *féminines* qui se terminent par un *e* muet.

---

1. Racine, *Bérénice*, Acte IV, scène 5. A noter que, dans ce texte de Racine, le second des vers que nous citons est décalé sur la droite. Cet *effet graphique* indique qu'on souhaite un *effet de rythme* afin de faire ressentir une sorte de changement de direction de la pensée.

Nous nous contenterons de donner deux exemples d'effets de rythme, mais vous pourrez compléter votre documentation.

Exemple 1

Cet exemple est emprunté aux *Fleurs du Mal* de Baudelaire. Il s'agit de deux vers tirés du poème « Le beau navire » :

« Quand tu vas balayant l'air de ta jupe large,
Tu fais l'effet d'un beau vaisseau qui prend le large. »

Du point de vue du rythme, le découpage de ces deux vers peut se représenter ainsi :

Quand tu vas	balayant l'air	de ta jupe large,
3	4	5
Tu fais l'effet	d'un beau vaisseau	qui prend le large.
4	4	4

Les chiffres au-dessous des accolades représentent le nombre des syllabes.

Il est évident que le rythme de l'ensemble, et particulièrement du deuxième vers (trois segments égaux), suggère à la fois l'ampleur et le rythme du balancement évoqué. C'est un point qui devrait être noté dans un commentaire.

Exemple 2

Joachim du Bellay, poète du xvi⁰ siècle, par le seul effet du rythme (insistance sur les syllabes fléchées), suggère l'effort du travailleur :

« Cependant que j'ahâne
A mon blé que je vânne
A la chaleur du jour. »

Notons qu'à l'effet de rythme s'ajoutait un effet d'harmonie imitative, donc un effet sonore. Le *a*, à cette époque, devant *n*, était nasalisé (prononcé *an*) comme il l'est encore dans le Bassin aquitain. Le texte en fin de vers reproduisait donc le *anh* ! que nous appellerions aujourd'hui le *anh* ! du bûcheron.

Il est indispensable que vous acquériez quelques notions de versification, et cela aussi bien pour l'oral que pour l'écrit.

Nous nous permettons donc de vous renvoyer au *Que sais-je ?* de Pierre Guiraud sur *La versification*.

VOCABULAIRE A VÉRIFIER

Atones/sonores (voyelles atones et voyelles sonores), **métrique, période, pied/syllabe, prosodie, rime riche, versification.**

4. Les effets de ressemblance

Toutes les figures de style, tous les procédés que nous allons évoquer dans cette rubrique se caractérisent par le fait que, pour parler d'une réalité donnée, on se réfère à une autre réalité qui entretient avec elle des rapports de ressemblance.

Les deux figures fondamentales dans ce domaine sont la *comparaison* et la *métaphore*. Les autres procédés que nous évoquerons ne sont, en fait, que des dérivés de ces figures mères.

— La *comparaison* se caractérise par la présence de trois éléments : le comparé, un terme de comparaison et le comparant.

Le *comparé* est la réalité dont on parle.

Le *terme de comparaison* est le mot (ou l'expression) utilisé pour établir un lien entre le comparé et le comparant (comme, ainsi, tel, tel que, pareil à, sembler, paraître, on eût cru, on aurait pu le prendre pour, comme si, on eût dit, etc.).

Le *comparant* est le mot ou l'expression qui fait image.

Dans la comparaison : « Cet homme est courageux comme un tigre », nous avons, par exemple, le comparé (« cet homme »), le terme de comparaison (« comme ») et le comparant (« un tigre »). Le courage est l'élément, commun aux deux réalités, qui justifie ce rapprochement.

— La *métaphore* est souvent définie comme une « comparaison abrégée », une « comparaison elliptique » ou encore une « comparaison condensée ».

La métaphore fonctionne, en effet, comme la comparaison en se fondant sur la ressemblance partielle ou globale de deux réalités, avec non plus rapprochement des deux réalités, mais substitution du comparant au comparé.

Ainsi, au lieu de dire de quelqu'un : « Cet homme est courageux comme un tigre », je peux condenser cette formulation et dire : « C'est un tigre ! »

Nous remarquons que, dans ce cas, le point commun à l'individu concerné et au tigre (le courage) n'est pas explicité. Le fait que ce commun dénominateur puisse rester dans le vague explique pourquoi de nombreux poètes jugent la métaphore plus suggestive que la comparaison.

La comparaison et la métaphore sont très fréquemment employées dans la vie courante pour donner du piquant au discours. Les enfants, quant à eux, ont souvent recours à la métaphore lorsqu'ils ne connaissent pas le terme exact. Témoin ce bambin dont parle Gide dans son *Journal* et qui, s'étant fait une profonde entaille, disait : « Je perds toute ma sauce. »

Quand on étudie les comparaisons ou les métaphores, il faut apprécier leur degré d'originalité. En effet, ces figures de style s'usent à force d'être employées. Ce qui faisait dire à un humoriste : « Le premier qui compara une femme à une rose était un poète, le second était un imbécile. »

Lorsqu'une comparaison ou une métaphore sont devenues tout à fait banales, on parlera de *clichés*. A titre d'exemples, le soleil comparé à un disque d'or ou les arbres en hiver comparés à des fantômes.

L'usure du procédé peut être poussée plus loin, au point que la référence au comparé n'est plus comprise. Ainsi, de nombreux utilisateurs de l'expression « se porter comme un charme » ne savent pas que le mot « charme » désigne, dans ce cas, un arbre.

Il arrive même que le phénomène d'usure soit poussé encore plus loin. La métaphore est devenue un mot autonome, elle fait partie du lexique. On dira dans ce cas que la métaphore est *lexicalisée*. Ainsi, quand on parle des « pieds » d'une chaise, des « bras » d'un fauteuil ou de la « tête » d'un lit, la référence au corps humain est oubliée.

Les écrivains tendent souvent à redonner vie à des métaphores usées. Colette, par exemple, parle de personnes étendues sur une plage qui « rôtissaient au soleil ou cuisaient au bain-marie dans des flaques d'eau »[1]. L'expression « rôtir au soleil » est pratiquement lexicalisée, mais sa juxtaposition avec « cuire au bain-marie » lui redonne une force nouvelle.

---

1. Nous citons de mémoire.

Lorsqu'une comparaison ou une métaphore se prolonge et que la relation comparé-comparant porte sur plusieurs points, on parle de *métaphore filée*.

C'est, par exemple, ce qui se produit dans les lignes de Francis Giauque qui suivent :

> « Nous ressemblons
> à ces oiseaux désemparés
> que le vent déporte
> de tempête en tempête
> et qui s'élancent
> à l'assaut du soleil
> pour retomber calcinés
> dans une poussière de sang. »

On pourra se reporter aussi à l'étude du poème de Valéry intitulé *Les pas* (cf. p. 115) qui est tout entier construit sur une métaphore filée.

— Le *symbole* et l'*allégorie* sont l'un et l'autre des comparaisons ou des métaphores amplifiées, mais avec des correspondances terme à terme moins nettes que dans la métaphore filée. Il n'est pas toujours facile de distinguer le symbole de l'allégorie. Cependant, lorsque l'effet de ressemblance se prolonge sur tout un récit, on parlera toujours d'allégorie.

— Le *mythe* est un récit fabuleux qui exprime d'une manière imagée certains aspects de la condition humaine. Pris dans ce sens, il est assez proche de l'allégorie au sens de récit à caractère symbolique. En général, la correspondance terme à terme entre comparé et comparant est moins nette dans le mythe que dans l'allégorie.

— L'*apologue* ou la *fable* est un récit imagé (où souvent les sociétés animales servent de comparant aux sociétés humaines) qui contient une leçon morale, explicite ou non.

— La *parabole* est un récit du même genre mais qui utilise beaucoup moins le parallèle hommes/animaux et qui se rencontre surtout dans le domaine religieux.

Comme pour toutes les autres figures de style, vous ne devez jamais vous contenter de noter un effet de ressemblance. Il faut toujours analyser l'effet qu'il produit.

Ce type d'effet peut, selon le contexte, renforcer l'expression ou l'atténuer, produire un effet comique ou suggérer un univers mystérieux, avoir une valeur explicative ou, au contraire, fonctionner comme un masque pour cacher une vérité au profane ou à la censure.

VOCABULAIRE A VÉRIFIER

Allégorie, apologue, cliché, comparaison, métaphore, métaphore filée, mythe, parabole, symbole.

5. Les effets d'insistance et d'atténuation

Certains procédés rhétoriques tendent à une augmentation d'intensité dans l'expression ou, au contraire, à une atténuation de cette intensité.

● Parmi les procédés qui permettent un effet d'insistance, nous distinguerons la redondance, l'hyperbole, le pléonasme, la répétition, l'accumulation, la gradation.

— La *redondance* correspond à un renchérissement de l'expression par l'adjonction d'éléments presque équivalents (un exemple, p. 107).

— L'*hyperbole* est une figure qui consiste en une exagération dans les mots, une amplification de l'expression. Par exemple, dans ce vers de Mallarmé :
« La chair est triste, hélas ! et *j'ai lu tous les livres.* »

— Le *pléonasme* consiste à répéter une idée à l'intérieur d'une même expression ou d'une même proposition. Il peut être fautif (« une heure de temps ») ou expressif (« je l'ai de mes propres yeux vu »).

— La *répétition*, souvent évitée par souci d'élégance, peut avoir une valeur expressive. Elle peut, comme dans ce vers de Mallarmé, traduire une obsession :
« *Je suis hanté* : l'Azur ! l'Azur ! l'Azur ! l'Azur ! » [1]

— L'*accumulation* est une succession assez longue de mots qualifiant des choses ou des actions avec un grand détail : « Je m'en vais vous mander la chose la plus étonnante, la plus

---

1. Deux effets graphiques dans ce vers : l'emploi des italiques pour les trois premiers mots et l'emploi des majuscules pour le mot « azur ».

surprenante, la plus merveilleuse, la plus miraculeuse, la plus triomphante, la plus étourdissante », etc. (Lettre de Madame de Sévigné, 15 décembre 1670.)

— Lorsqu'il y a progression dans les termes de l'énumération, on parlera de *gradation*. Ainsi, quand Cyrano de Bergerac, personnage d'Edmond Rostand, parle de son nez volumineux :

« C'est un roc !... C'est un pic !... C'est un cap !
Que dis-je, c'est un cap ?... C'est une péninsule ! »

● Les principaux procédés qui permettent une atténuation de l'expression sont la litote et l'euphémisme.

— L'emploi d'une *litote* atténue l'expression d'une pensée qui sera néanmoins comprise dans toute sa force. On cite toujours à ce propos la phrase de Chimène qui, dans *Le Cid*, dit à Rodrigue : « Va, je ne te hais point » pour dire, tout en restant discrète, la force de son amour.

— Le recours à l'*euphémisme* veut aussi atténuer, mais l'adoucissement a, dans ce cas, pour but d'éviter l'expression trop crue d'une vérité pénible. On dira « troisième âge » pour « vieillesse » ou « développement séparé » pour « ségrégation raciale ».

● Un même procédé peut permettre un effet d'insistance ou d'atténuation selon la circonstance. C'est, par exemple, le cas de la périphrase et de l'ellipse.

— La *périphrase* peut être définie comme un groupe de mots qui remplace un nom propre ou un nom commun. Elle peut donner une certaine ampleur à l'expression. Elle peut aussi attirer l'attention sur un point précis. Si je parle de Napoléon comme de « l'homme du 18 Brumaire », ce sera pour attirer l'attention sur le fait qu'il est venu au pouvoir à la suite d'un coup d'État. Mais pour annoncer une chose pénible, un décès par exemple, on utilisera souvent une périphrase qui rend moins pénible la nouvelle.

— L'*ellipse* est une figure qui consiste à supprimer un élément en laissant au lecteur le soin de compléter. La suppression peut porter sur un segment grammatical. Dans « Le ciel est clair, la mer bleue, le temps serein », l'ellipse porte sur *est*. Elle peut porter aussi sur des éléments plus importants. On peut dans un récit supprimer une scène pour ne pas offusquer la pudeur du lecteur (atténuation) ou au contraire pour permettre à son imagination de courir (renforcement).

Il faut bien distinguer la litote et l'euphémisme d'une part, et l'ellipse d'autre part. La litote et l'euphémisme correspondent à une *expression atténuée*. L'ellipse correspond à une *suppression*, ce qui fait qu'on la classe généralement dans les figures de construction.

L'euphémisme se distingue de la litote en ce que la chose dont on veut atténuer l'expression a toujours quelque chose de pénible.

D'autres figures, comme la métaphore, peuvent servir à atténuer, masquer, ou, au contraire, à mettre en exergue.

VOCABULAIRE A VÉRIFIER

Accumulation, ellipse, euphémisme, gradation, hyperbole, litote, périphrase, pléonasme, redondance, répétition, rhétorique.

6. Les effets d'association

Nous classerons dans cette rubrique les effets reposant sur une association autre qu'un rapport de ressemblance. Cela nous conduira à étudier successivement la métonymie, la synecdoque, les effets tirés des connotations et les effets tirés des niveaux de langue.

— La *métonymie* est une figure par laquelle on désigne une réalité par le nom d'une autre réalité qui entretient avec elle un rapport habituel d'association.

Les types de rapport pouvant être multiples, il existe différentes catégories de métonymie (*métonymie du contenant* : on dit « boire un verre », mais, en fait, c'est le contenu qu'on boit ; *métonymie du lieu* : on dit « l'hôtel Matignon » pour « le cabinet du Premier Ministre » ; *métonymie de la cause* : dans *Phèdre* de Racine, quand il est dit de l'héroïne : « C'est Vénus tout entière à sa proie attachée », Vénus n'est que la cause de la passion qui dévore Phèdre, mais il s'opère un transfert de la cause à la réalité concernée).

— La *synecdoque* est un cas particulier de métonymie. C'est une figure par laquelle on nomme une partie pour désigner un ensemble (une « voile » pour un « bateau à voile ») ou, à l'opposé, l'ensemble pour désigner un sous-ensemble (un « fer » pour une « épée »).

La synecdoque, parce qu'elle permettait d'éviter le terme propre jugé trop prosaïque, était perçue comme convenant bien au style noble de la tragédie. Vigny provoquera un petit scandale en utilisant, dans une traduction de Shakespeare, le mot « mouchoir » à la place du mot « tissu », lequel semblait plus convenable aux tenants de la tradition.

● *Les effets tirés des connotations* sont utilisés fréquemment par les écrivains, et il est nécessaire de s'y arrêter assez longuement.

On distingue pour un mot donné la dénotation et les connotations.

— La *dénotation* correspond au sens strict du mot, le sens donné par les dictionnaires. Un chat sera, par exemple, défini comme un « genre de mammifère, de l'ordre des carnassiers, famille des félidés, comprenant plusieurs espèces, les unes domestiques, les autres sauvages ».

— Les *connotations* sont comme un jeu de significations secondes qui viennent se greffer sur le sens premier, une frange émotionnelle qui s'ajoute à la signification strictement intellectuelle du mot.

Les mots ont un ou plusieurs sens. Mais il se crée, étroitement lié à ce ou ces sens, tout un réseau d'images et d'idées qui constituent un halo affectif autour de la dénotation. Ainsi, au mot « chat » peuvent s'associer l'idée de confort, des souvenirs littéraires (textes de Colette, de Baudelaire, chanson de Brassens), des rappels de spots publicitaires ou des associations à caractère tout à fait personnel.

Ces associations d'idées peuvent varier d'une culture à une autre. Dans certaines régions d'Afrique, par exemple, le chat est considéré comme un animal un peu maléfique et on lui interdit l'entrée des maisons. Il est évident qu'il ne s'associe pas dans l'esprit des gens concernés à l'idée d'un intérieur douillet.

Les écrivains utilisent souvent les mots autant pour les connotations qui s'y rattachent que pour leur sens strict. Par exemple, le mot « livide » a désigné longtemps une couleur sombre et sert aujourd'hui à désigner la pâleur. Mais les poètes l'utilisent surtout pour l'idée de malaise qui y est associée. Quand Heredia introduit dans un poème des noms propres de personnages ou de lieux antiques ou désigne le général en chef des Romains par le mot « Imperator », c'est surtout parce que ces mots sont chargés d'histoire et que, remis en situation, ils sont particulièrement suggestifs.

La combinaison de mots qui correspondent, du point de vue des connotations, à un même réseau, tend à renforcer la charge émotionnelle de chacun d'eux et à produire un effet de suggestion global.

Dans l'étude des textes, notamment des textes poétiques, vous devrez donc tenir compte de ces différents aspects du mot dont Aragon parle très bien dans *Le Musée Grévin* :

« Les mots français gardent l'espoir d'un double sens
Comme un pré qui ne peut oublier qu'il a plu.
Les plus simples d'entre eux ont le plus de puissance.
Ils vibrent longuement d'un accord résolu. »

• *Les effets tirés des niveaux de langue* sont assez proches des effets d'association, de suggestion tirés des connotations. Certains mots sont classés d'emblée dans la langue familière ; d'autres, au contraire, font partie d'une langue soutenue. Donc, automatiquement, dès qu'on les emploie, le lecteur sent que l'on se situe dans tel ou tel registre.

Le tableau ci-dessous montre bien cet aspect de la langue :

	Langue parlée	Langue écrite
Langue oratoire	discours, sermons	
Langue soutenue	cours, communications orales diverses	langue littéraire, lettres et écrits à caractère officiel
Langue commune	conversation courante, radio, télévision	communications écrites courantes
Langue familière	conversation non « surveillée »	langue relâchée, incorrecte langue littéraire
Langue populaire	argot, conversation « relâchée »	cherchant à calquer la langue parlée.

Francis Vanoye, *Expression, Communication*. Ed. Armand Colin.

Le fait que l'auteur choisisse tel ou tel registre, ou bien qu'il mélange les registres, ou bien encore qu'il opte pour un niveau de langue qui ne correspond manifestement pas à la situation, est toujours significatif.

VOCABULAIRE A VÉRIFIER

Connotations, dénotation, métonymie, niveau de langue, registre, synecdoque.

7. Les effets d'animation

Les procédés qui nous intéressent ici consistent à supposer une âme à ce qui en est normalement dépourvu (« animation » est formé sur le mot latin *anima* qui signifie « âme ») ou à imaginer l'intervention d'un être animé absent. Ce sont la personnification et la prosopopée.

— La *personnification* consiste à décrire une chose inanimée ou à s'adresser à elle, comme s'il s'agissait d'un être vivant (pas obligatoirement une personne), en lui prêtant une âme, une intention ou une volonté.

On utilise ce procédé tout naturellement quand on dit, par exemple, que « le feu ne *veut* pas prendre », mais il est d'un usage plus systématique encore en littérature.

Exemple :
Zola, dans *La bête humaine*, parle d'une locomotive, *La Lison*, en la personnifiant :

« On n'entendait plus, on ne voyait plus. La Lison, renversée sur les reins, le ventre ouvert, perdait sa vapeur, par les robinets arrachés, les tuyaux crevés, en des souffles qui grondaient, pareils à des râles furieux de géante. Une haleine blanche en sortait, inépuisable, roulant d'épais tourbillons au ras du sol, pendant que, du foyer, les braises tombées, rouges comme le sang même de ses entrailles, ajoutaient leurs fumées noires. La cheminée, dans la violence du choc, était entrée en terre ; à l'endroit où il avait porté, le châssis s'était rompu, faussant les deux longerons ; et, les roues en l'air, semblable à une cavale monstrueuse, décousue par quelque formidable coup de corne, la Lison montrait ses bielles tordues, ses cylindres cassés, ses tiroirs et leurs excentriques écrasés, toute une affreuse plaie bâillant au plein air, par où l'âme continuait de sortir, avec un fracas d'enragé désespoir. »

A titre d'exercice préparatoire au commentaire, relevez les expressions se rattachant aux procédés d'animation dans ces quelques lignes de Zola.

Réponse : Retournez la page après avoir fait votre propre recherche.

---

renversée sur les reins/le ventre ouvert/des souffles qui grondaient/des râles furieux de géante/haleine blanche/comme le sang même de ses entrailles/semblable à une cavale mons-trueuse/toute une affreuse plaie/par où l'âme continuait de sortir, avec un enragé désespoir. Le titre du livre (*La bête humaine*) et le fait que la locomotive ait un nom de femme (la Lison) prépareraient déjà le lecteur à l'utilisation systématique du procédé d'animation.

— La *prosopopée* se définit comme un artifice littéraire consistant à faire parler une personne absente, morte ou une réalité personnifiée. L'exemple le plus célèbre est sans doute la « Prosopopée de Fabricius » (*Discours sur les sciences et les arts*) dans lequel Rousseau imagine un citoyen vertueux des premiers âges de Rome portant un jugement sur le monde moderne prétendument civilisé.

VOCABULAIRE A VÉRIFIER

Personnification, prosopopée (rechercher la « Prosopopée de Fabricius » dans le texte de Rousseau, *Discours sur les sciences et les arts*).

8. Les effets de construction

Parmi les procédés étudiés dans les rubriques précédentes, la répétition, l'accumulation, l'ellipse auraient pu être considérées comme des figures de construction si l'on s'était attaché plutôt à leur fonctionnement qu'à leur résultat. Nous étudierons ici l'inversion, le chiasme, le parallélisme, et, bien que cette figure ne soit pas habituellement classée parmi les figures de construction, l'antithèse.

— L'*inversion* correspond au renversement de l'ordre habituel de succession des mots dans la phrase.

« Quelconque le gâteau de la nuit décoré de petites bougies faites de lucioles. » (Césaire, *Cadastre*.)

Le mot *quelconque* est antéposé. L'inversion, grâce à laquelle il apparaît en début de phrase, lui donne tout le relief dont il est susceptible.

— Le *chiasme* est une construction dans laquelle on croise les termes de même nature grammaticale.

« Nous sommes les flocons de la neige éternelle
  Dans l'éternelle obscurité. » (Hugo, *Les contemplations*.)

neige   éternelle
éternelle   obscurité

— Le *parallélisme* consiste à juxtaposer ou à rapprocher des phrases ou des segments de phrase ayant des structures grammaticales similaires. Victor Hugo procède ainsi dans ce vers extrait de « *La pitié suprême* » :

« Il est cynique, il est infâme, il est horrible. »

La construction en parallèle peut aussi concerner le début de plusieurs vers rapprochés. Quand il n'y a pas seulement similitude des structures, mais aussi répétition d'éléments identiques, on parle d'*anaphore*.

C'est par exemple le cas dans ce texte de Breton extrait de *L'Union libre* :

« Ma femme à la chevelure de feu de bois
Aux pensées d'éclairs de chaleur
A la taille de sablier
Ma femme à la taille de loutre entre les dents du tigre
Ma femme à la bouche de cocarde et de bouquet d'étoiles de dernière grandeur
Aux dents d'empreinte de souris blanche sur la terre blanche
A la langue d'ambre et de verre frottés
Ma femme à la langue d'hostie poignardée. »

Ce passage est structuré, comme tout le reste du poème, par les anaphores sur « ma femme » et sur « à la », « aux ».

— L'*antithèse* est une figure de style dont l'effet provient du rapprochement de deux réalités très contrastées. Un parallélisme de construction tend souvent à renforcer l'opposition (« Car vous enseignez tout et vous ignorez tout »).

Elle peut porter sur la juxtaposition de deux mots opposés (« adorable fripouille »). On parle souvent dans ce cas d'*alliance de mots*. Elle porte plus souvent sur des groupes de mots

(« D'un côté c'est l'Europe, et de l'autre la France ») ou même sur deux parties d'un texte (portraits antithétiques du riche Giton et du pauvre Phédon dans *Les caractères* de La Bruyère).

Vous devez être sensible aux problèmes de construction au niveau d'une expression, d'une phrase, d'un paragraphe ou même d'un texte tout entier. L'écrivain construit toujours, même s'il donne l'impression du contraire. Vous devez percevoir l'ordre dans lequel sont présentés les éléments et, sachant que cet ordre n'est jamais arbitraire, chercher à comprendre l'intention qui a présidé à ce type de présentation.

VOCABULAIRE A VÉRIFIER

Anaphore, antithèse, chiasme, inversion, parallélisme (chercher dans *Les caractères* de La Bruyère les portraits de Giton et Phédon).

9. Les jeux de mots

Les écrivains obtiennent souvent des effets en jouant sur les mots. Ils peuvent, par exemple, jouer sur les différents sens d'un même mot, sur des ressemblances du point de vue sonore (l'avis/la vie) ou des ressemblances approximatives (service divin/service du vin), sur le télescopage de deux mots (sangsuel, télévasion), ou intervertir les sonorités.

Les possibilités de jeux de mots sont multiples, mais nous ne nous attarderons pas sur ce type d'effet assez rare à l'examen. Vous pourriez cependant compléter utilement votre information en lisant le *Que sais-je ?* de P. Guiraud sur *Les jeux de mots*.

VOCABULAIRE A VÉRIFIER

Anagramme, calembour, contrepèterie, cuir, lapsus, mot-valise, pataquès.

10. Les effets de distanciation

On peut « parler sérieusement », c'est-à-dire en s'impliquant totalement dans son propos, mais on peut, à l'opposé, prendre une certaine distance avec lui. C'est ce qui se produit avec l'ironie et l'humour.

— Le mécanisme de l'*ironie* est simple. Je dis le contraire de ce que je pense, mais de telle sorte que les gens avisés comprennent ma vraie pensée. On parle aussi, dans ce cas, d'*antiphrase*.

Ainsi, un professeur peut s'adresser ironiquement à un mauvais élève en lui disant : « C'est très bien. Continuez. Ce sera la fête en juillet. » L'élève et ses camarades comprennent le sens réel, mais l'effet comique n'est pas toujours apprécié par l'intéressé.

En littérature, l'exemple le plus célèbre d'ironie est le chapitre de *L'esprit des lois* intitulé « De l'esclavage des nègres ». Dans ce chapitre, Montesquieu feint de faire l'apologie de l'esclavage, mais il procède de telle façon qu'il fait ressortir l'absurdité des thèses des vrais défenseurs de cette injustice.

— L'*humour* consiste à feindre d'ignorer certaines conventions pour faire ressortir l'absurdité d'une situation. L'humoriste a souvent recours au personnage du naïf (*Candide* de Voltaire) ou de l'étranger (*L'ingénu* du même auteur) qui trouve anormales des situations qui n'étonnent personne ou normales des situations que tout le monde réprouve.

On oppose souvent l'*humour*, qui est une moquerie toujours bienveillante, à l'*ironie*, plus acide et parfois franchement méchante.

Ce détachement souriant qu'est l'humour peut correspondre à un profond sentiment de l'absurde, la « forme suprême du désespoir » pour parler comme André Breton (Préface à l'*Anthologie de l'humour noir*).

Sur ce problème de l'ironie et de l'humour (pas toujours faciles à distinguer) et sur leurs effets comiques, nous vous conseillons vivement de vous reporter à la bonne synthèse de Robert Escarpit, *L'humour* (*Que sais-je ?* n° 877).

Vous devez être très attentif à ces deux procédés puisque celui qui ne perçoit pas l'ironie ou l'humour d'un texte fait tout simplement un contresens, c'est-à-dire la faute la plus grave que l'on puisse commettre à l'occasion d'un commentaire.

Mais il faut éviter de prendre ces mots dans un sens trop large et de les utiliser systématiquement pour toute forme de comique léger, comme vous le faites souvent dans vos commentaires.

VOCABULAIRE A VÉRIFIER

Burlesque, comique, esprit, humour, ironie, ironie dramatique, ironie socratique, loufoquerie, sarcastique.

LE PROBLÈME DU POINT DE VUE

L'effet produit sur nous par un phénomène évoqué dans un texte tient beaucoup au « point de vue », c'est-à-dire à la façon dont il est perçu et présenté.

La bataille de Waterloo, par exemple, peut être perçue du point de vue d'un participant (c'est le cas de Fabrice del Dongo dans *La chartreuse de Parme* de Stendhal). Elle peut être décrite après coup d'une façon synthétique, comme le font Hugo ou Byron (poète anglais).

On peut aussi imaginer la bataille racontée du point de vue de Wellington, le général vainqueur, ou de Napoléon. On pourrait même décrire cette bataille « du point de vue de Sirius », c'est-à-dire comme si elle était vue d'une autre planète par quelqu'un qui serait peu au fait des mœurs européennes. C'est ce procédé qu'utilise Voltaire dans *Candide* pour décrire d'autres batailles de façon à faire ressortir l'absurdité de la guerre.

Soit par exemple la rencontre de plusieurs personnages. L'écrivain a de multiples moyens de nous la faire vivre.

Il peut :

— présenter cette rencontre comme une « scène », nous restituant uniquement ce qu'auraient enregistré un magnéto-phone et des caméras. C'est ce qu'on appelle la technique « béhavioriste », qui se contente de peindre des comportements (en anglais *behavior*), en laissant au lecteur la possibilité d'imaginer ce que pensent ou ce que ressentent les personnages ;

— résumer les événements comme aurait pu le faire un témoin ;

— faire résumer les événements par l'un des personnages ;

— confronter les résumés faits par différents personnages ;

43

— nous faire pénétrer, par une sorte d'effraction, dans la conscience d'un personnage et nous communiquer le flux d'idées et d'impressions qui constitue cette conscience. C'est ce qu'on appelle la technique du monologue intérieur ;

— mélanger scènes, résumés et monologues intérieurs ;

— situer différemment les événements sur la ligne du temps. Ils peuvent être éloignés, proches, présents ou même futurs, avec des possibilités de combinaison de ces différents choix ;

— procéder à une « restriction de champ » pour concentrer l'observation sur un secteur limité ou, au contraire, voir la situation comme dans un « panoramique ». En général, ces deux modes d'appréhension (restriction du champ plus ou moins poussée et vision panoramique) s'entremêlent ;

— intervenir dans le récit, comme le fait Stendhal ou, au contraire, s'effacer, du moins en apparence, à la façon de Flaubert.

Ces problèmes de point de vue sont relativement complexes, mais retenez cependant qu'il peut être intéressant de poser les questions : Qui voit ? Qui parle ? Où ? Quand ? Comment ?

LE STYLE COMME SYSTÈME D'EFFETS

Cette rapide revue des principaux procédés de style et des effets qui s'y rattachent devrait vous aider à interroger les textes.

Mais si l'analyse nous a obligés à opérer des classements, vous ne devez jamais oublier que ces procédés n'existent pas en eux-mêmes, à l'état isolé.

L'écrivain est toujours soucieux d'un *effet global*. Il s'y efforce en faisant *converger*, au service de cette *intention*, une pluralité d'effets différents. Chacun de ces effets s'appuie sur l'une des nombreuses possibilités offertes par la langue.

Il ne faudrait pas, cependant, réduire l'effet global à la somme de tous les effets particuliers. Les différents effets se combinent d'une manière complexe. Ils sont intégrés dans une véritable organisation ; ils forment tout un jeu de relations. Ils s'interpénètrent, s'imbriquent, se renforcent les uns les autres pour servir un sens qu'ils créent. C'est pourquoi nous parlons du style comme d'un *système d'effets*.

Pour interroger les textes ou pour les commenter, il ne suffit donc pas de répertorier ces différents effets et de les analyser. Un commentaire qui se contenterait d'analyser successivement les effets graphiques et sonores, les effets de rythme, de construction, les images, etc., ne pourrait être que mauvais.

Le commentaire ne doit pas non plus analyser le style comme un ornement venant s'ajouter à un contenu. Cela explique que l'on condamne formellement les plans comportant une première partie sur le fond et une seconde partie sur la forme. Ce type de plan se réfère trop directement à une conception désuète du style.

Non. Vous devez partir de l'idée qu'il y a dans tout texte à commenter *une convergence d'effets au service d'une intention*.

Votre rôle va consister à partir de l'*effet* produit sur vous pour remonter aux *moyens*, ce qui vous permettra, dans un dernier temps, d'apprécier dans quelle mesure cet effet correspond à l'intention de l'auteur.

3 Que faire devant un texte ?

Le commentaire composé ne peut partir que des *impressions* ressenties au contact du texte. Il se fonde donc obligatoirement sur des éléments subjectifs. Mais, dans son développement, il doit se présenter comme une *démonstration* scientifique. Aucune affirmation ne doit être avancée sans preuve(s). Les preuves, en l'occurrence, ce sont les références au texte.

La difficulté de l'exercice provient de ce qu'il demande, à la fois, l'*esprit de finesse* qui permet de trouver ce qu'il y a à dire et l'*esprit de géométrie* qui permet d'organiser le développement comme une démonstration.

Les conseils contenus dans ce chapitre, en travaillant dans ces deux directions, devraient vous aider à *trouver* et à *organiser* vos trouvailles.

COMMENT TROUVER ?

Dans cette phase, qui doit permettre de trouver les quelques points d'ancrage à partir desquels il pourra être procédé à un examen du texte, nous distinguerons deux étapes :
— Lecture innocente. Premières impressions.
— Questionnement du texte.

Lecture innocente

Il faut évidemment commencer par lire le passage à commenter.

Pour que cette lecture soit profitable, essayez, dans un premier temps, d'établir un contact intime avec le texte. Ne vous ruez pas sur lui en cherchant immédiatement matière à développement. Ne cherchez pas à plaquer sur lui les quelques connaissances que vous pouvez avoir sur l'auteur. Lisez-le tranquillement, d'abord de bout en bout puis en diagonale. Laissez-vous imprégner par lui.

Vous pouvez, après ce premier contact, numéroter les lignes ou les vers et éventuellement les strophes, compter les syllabes des vers, examiner la disposition des rimes. Ces tâches un peu mécaniques vous obligent à circuler dans le texte et elles s'avéreront utiles par la suite.

A l'issue de cette rencontre avec le texte, notez les idées qui vous viennent à l'esprit, même si elles vous paraissent un peu folles. Qu'elles soient justes ou fausses, elles ont leur intérêt, ayant été suscitées par le texte.

Questionnement du texte

Il faut partir d'impressions, d'intuitions, disions-nous. Mais vous êtes fondé à nous répondre : « Et si les idées ne viennent pas ? »

Il arrive, en effet, que vous soyez bloqué. Vous tournez autour du texte sans pouvoir y entrer. Dans ce cas, pour dépasser cette situation de blocage, il est bon de poser les quelques questions clés qui suivent :

1	A quel GENRE littéraire appartient le texte ?
2	De quoi est-il question dans le texte ? Quel en est le THÈME ?
3	Quelle est la COMPOSANTE principale du texte (action, conversation, description, réflexion, expression d'un sentiment, rêve) ?
4	Quel est le PROCÉDÉ dominant [récit d'action, dialogue, monologue intérieur (en style direct ou rapporté), recherche d'un effet plastique, d'une atmosphère, recours à la métaphore, à tel ou tel procédé de style] ?
5	Quelle PROGRESSION se réalise dans le texte (situation de départ → situation d'arrivée) ?
6	L'AUTEUR manifeste-t-il sa présence dans le texte et comment ?
7	Quelle est l'INTENTION de l'auteur ?

Nous commenterons ces différentes questions qui, dans quelques cas, suscitent d'autres questions, et qui, de toute façon, vous aident à trouver.

1. A quel GENRE littéraire appartient le texte?

Il faut tout d'abord situer le texte parmi les différents genres littéraires : poésie, théâtre, roman, nouvelle, autobiographie, lettre, conte, conte philosophique, portrait, fable.

Si possible, il faut pousser l'analyse plus loin et essayer de situer le texte dans un sous-ensemble. Par exemple, pour la poésie : poésie lyrique (expression d'un sentiment personnel), poésie satirique, poésie descriptive, poésie « philosophique ». De même on distingue roman psychologique, roman poétique, roman de mœurs, roman historique, roman à thèse, roman fantastique, roman satirique.

Ces classements comportent une part d'artifice et se font en fonction d'une dominante. Par exemple, un roman étiqueté comme roman psychologique comportera presque sûrement une peinture de mœurs et pourra avoir une portée satirique. Mais ce travail de classement n'est pas inutile. En particulier, des comparaisons avec des textes dont le contenu est proche, mais le genre différent, sont toujours suggestives.

2. De quoi est-il question dans le texte? Quel en est le THÈME?

Il faut poser très vite une question simple : « De quoi s'agit-il ? » ou : « De quoi est-il question dans ce texte ? » Cela revient à se demander à quoi se ramènerait ce texte si on le réduisait à un texte d'idées. Cette question, pour certains poèmes, aboutit à une impasse, mais pour les textes donnés au baccalauréat, il est toujours possible de cerner un « contenu ».

3. Quelle est la COMPOSANTE principale du texte?

Comme cela apparaît déjà sur notre tableau, il s'agit de classer le texte en fonction de l'élément dominant dans les grandes catégories : action, conversation, description, réflexion, sentiment ou rêve.

Différents éléments (action, conversation et description, par exemple) peuvent être présents dans un même texte. Dans ce cas, il faut déterminer la part de chacun, ce qui fera apparaître l'élément dominant. Il faut étudier aussi comment ces différentes composantes coexistent. Elles peuvent être simplement juxtaposées ou au contraire étroitement imbriquées.

4. Quel est le PROCÉDÉ dominant employé?

Cette question est étroitement liée à la précédente dont nous reprendrons les différents points.

— S'il s'agit d'une *action* (scène de guerre, scène d'aventure, scène de la vie quotidienne, scène de la vie future), ce qui domine alors naturellement, c'est le récit des faits et des gestes des protagonistes.

Cette présentation des faits peut être très générale ou minutieuse ; les événements peuvent se succéder à un rythme lent ou précipité. L'auteur peut aussi occulter une partie des faits pour intriguer ou préparer un effet de surprise.

— S'il s'agit d'un texte rapportant une *conversation*, le procédé sera celui du dialogue (style direct) si la scène est vivement présentée, ou celui du dialogue rapporté (style indirect) si l'auteur souhaite une présentation moins vivante. Il existe même un mode de présentation intermédiaire (le style indirect libre) [1].

— Si le texte est essentiellement *descriptif* et que ce n'est pas un texte d'action, l'auteur choisit le plus souvent de faire un ou plusieurs tableaux dans lesquels domineront les éléments de décor, d'attitude, d'atmosphère.

— Si le texte est constitué par une *réflexion*, ou par l'*expression d'un sentiment*, le ton pourra être plus ou moins personnel, exprimant le point de vue de l'auteur avec plus ou moins de vigueur. Il pourra s'agir d'un monologue intérieur

---

1. On parle de style direct quand les propos ou les pensées sont rapportés comme s'ils avaient été enregistrés (— *Qui est-ce ? Comment s'appelle-t-elle ? Ai-je une chance de la revoir ?*). A l'inverse, on parle de style indirect lorsque des propos ou pensées ne sont pas rapportés sous leur forme exacte, mais font l'objet d'une sorte de compte rendu (*Il lui demande de qui il s'agit, s'il la connaît et s'il a une chance de la revoir*). C'est également vrai pour le monologue intérieur (*Il se demande...*). Le style indirect libre participe des deux systèmes.

(l'auteur, le narrateur ou le héros se parlant à lui-même) ou encore d'un discours adressé à quelqu'un.

— S'il s'agit d'un texte où la *rêverie* est dominante — un poème lyrique, par exemple —, elle pourra s'appuyer sur des figures qui permettent à l'imagination de trouver, comme Baudelaire, des correspondances à l'intérieur de la réalité : par exemple, les métaphores.

5. Quelle PROGRESSION se réalise dans le texte?

Dans tout texte littéraire, même s'il s'agit d'un extrait, on note une progression. Elle est liée au fait qu'une page de littérature n'est jamais, en principe, écrite en vain, et que l'on se rend en la lisant d'un point à un autre, d'une situation de départ à une situation d'arrivée. Cette progression peut concerner l'action, la conversation, la description, la réflexion ou la rêverie.

On étudiera toujours cette progression d'une façon systématique. Par exemple, pour une pièce de théâtre, on se demandera toujours : quelle est la situation de l'action au début du texte ? Quelle est la situation de l'action à la fin du texte ? Comment est-on passé de la première situation à la seconde ? L'action étant toujours directement tributaire de l'évolution psychologique des personnages, de telles questions vous font aller à l'essentiel.

Le mouvement du texte peut aussi être centré sur un dévoilement progressif de la psychologie d'un personnage ou, comme c'est le cas pour le texte de Flaubert de la page 134, sur l'évolution d'une atmosphère.

6. L'AUTEUR manifeste-t-il sa présence dans le texte et comment?

L'auteur se manifeste toujours dans le texte et l'on pourrait dire familièrement qu'il ne fait même que cela. Le texte résulte, nous l'avons vu, de l'ensemble de ses choix.

Mais la question est ici posée en un sens plus étroit. L'auteur peut éviter de manifester sa présence (Flaubert souhaitait qu'il fût comme Dieu dans la création, présent partout, visible nulle part). Il peut, au contraire, faire des remarques sur les personnages (nous pensons aux intrusions de Stendhal) ou même apostropher le lecteur. Il peut aussi déléguer son regard à un personnage ou raconter la scène telle qu'il l'a vue lorsqu'il était enfant.

Enfin, il peut être intéressant de situer le narrateur dans le temps par rapport au moment où les événements se déroulent. Il peut parler au passé, au présent, au futur ou encore mélanger ces différentes perspectives. Le passé ou le futur peuvent être proches ou lointains.

Sur ces différentes possibilités, on se reportera à ce que nous disons p. 43 à propos du point de vue.

Si le récit est entièrement écrit à la première personne, il faut le signaler et vous préparer à en tirer les conséquences. Nous rappelons à ce propos, car ce point est très souvent source d'erreur dans vos copies, que celui qui dit *je*, sauf exceptions rares (écrits autobiographiques, mémoires, lettres), n'est pas l'auteur, mais le narrateur, qui est un personnage du récit. C'est par exemple le cas de Meursault dans *L'Etranger* de Camus. C'est aussi le cas de celui qui dit *je* dans *A la recherche du temps perdu* de Proust, même si dans cette œuvre les liens entre l'auteur et le narrateur sont très étroits.

7. Quelle est l'INTENTION de l'auteur ?

L'auteur d'un texte littéraire, comme nous l'avons déjà expliqué, cherche à produire un *effet* sur le lecteur, à travers l'emploi d'un certain nombre de *procédés* d'écriture. Une fois relevés ces procédés et singulièrement ce que nous avons appelé le *procédé dominant* mis en œuvre dans le texte, vous devez pouvoir remonter à l'*intention* qui a présidé à leur choix. Si, par exemple, le procédé dominant consiste dans la description d'une succession rapide d'actions vivement enchaînées, on peut conclure sans peine que l'intention de l'auteur est de peindre une scène vivante. Si, au contraire, l'action est rare ou nulle, et que la description s'étend longuement sur le décor, les objets, les lumières, les bruits, les attitudes, alors on peut tout aussi facilement conclure que l'intention de l'auteur est d'évoquer un climat, une atmosphère, laquelle peut à son tour être importante pour comprendre le déroulement de l'intrigue ou de l'action.

Après la question de l'intention se pose naturellement celle de la réussite. L'auteur, à travers tous les moyens qu'il a mis en œuvre, est-il parvenu à produire l'effet désiré ? Pour répondre à cette dernière question, il faudra avoir fait tout le trajet du commentaire. Il faut donc la réserver pour la *conclusion*.

COMMENT ORGANISER ?

Votre première approche du texte vous apporte un certain nombre d'*impressions* et de *connaissances* qui demandent à être vérifiées, exploitées et organisées.

Dans cette nouvelle phase de votre travail, il va falloir confronter minutieusement ces trouvailles avec le texte et envisager la façon dont l'ensemble des matériaux pourra être réparti en grands centres d'"intérêt. Ces opérations correspondent à deux phases de votre travail qui sont l'*examen détaillé du texte* et l'*établissement des grandes lignes du plan*. C'est aussi à ce moment, conjointement à ces deux opérations, que devra être rédigée l'*introduction*.

Bien que cela soit source de complications, nous sommes obligés de distinguer deux cas : celui de l'élève qui, à l'issue du questionnement, ne voit pas nettement se dessiner les grandes lignes de son plan, et celui de l'élève qui, au contraire, les voit.

Dans le premier cas, celui de l'élève qui ne voit pas rapidement se dessiner les lignes du plan, les trois activités qui nous intéressent dans cette rubrique se présenteront dans l'ordre suivant :
1. Examen détaillé du texte ;
2. Etablissement des grandes lignes du plan ;
3. Rédaction de l'introduction.

Dans le second cas, l'ordre sera :
1. Grandes lignes du plan ;
2. Rédaction de l'introduction ;
3. Examen détaillé du texte (en fonction des grandes lignes du plan).

La rédaction, pour l'essentiel directement sur la copie, vient immédiatement après ces trois phases, quel que soit leur ordre.

1. Examen détaillé du texte

La phase du travail que nous appelons l'examen détaillé du texte a pour but de confronter méticuleusement les premières impressions et les premières découvertes avec le texte.

Qu'il soit fait avant ou après l'établissement des grandes lignes du plan, cet examen aura toujours une double fonction. Il doit permettre un travail de *vérification* qui évitera les erreurs dues à la précipitation, et un *repérage-regroupement* des matériaux qui doit faciliter la rédaction du commentaire.

Nous aborderons chacun de ces deux points avant d'examiner les différentes manières dont le problème se pose selon que l'on part un peu à l'aventure ou que l'on est déjà en possession des grandes lignes du plan.

● *Vérification*

Vos premières impressions peuvent être exactes, mais elles peuvent aussi correspondre à une lecture erronée du texte. Vous avez pu prendre un mot pour un autre, négliger toute une partie du texte, laisser de côté un élément qui détermine toute l'interprétation du texte ou, à l'opposé, voir dans la page à commenter des choses qui n'y figurent pas.

Par exemple, un candidat, expliquant un texte de Proust, parle d'un personnage comme d'un « jeune homme » et il en tire des explications quant à son comportement. Mais, en fait, aucun élément du texte ne permet de dire qu'il s'agit d'un jeune homme, et, comme en réalité ce n'en est pas un, le raisonnement « se casse le nez ». Dans l'étude d'un poème, le candidat affirme, sans preuves, qu'il s'agit d'un homme qui attend une femme, mais un examen attentif du texte montre que rien ne permet de déterminer avec certitude le sexe des protagonistes. Ce réexamen a permis de progresser dans l'analyse parce que cette indétermination constitue un matériau qui pourra être exploité dans le commentaire.

La vérification doit être tout autant une contre-vérification. A l'issue d'un premier examen, vous avez l'impression que dans tel extrait de roman centré sur la rencontre de deux personnages, « il ne se passe rien ». Dans la phase de l'examen détaillé, il va falloir confronter cette idée au texte et vous demander : « Est-ce bien vrai ? » Cela vous permettra de découvrir que s'il ne s'y passe pas de grandes actions, on peut en revanche observer une multitude de petits faits qui concourent à créer une atmosphère.

Ayant corrigé un très grand nombre de copies, nous savons que le risque d'erreur est particulièrement fort quand vous êtes en pays connu. C'est pourquoi nous avons insisté sur la nécessité d'une lecture innocente avant toute analyse. Tout aussi paradoxalement, le risque d'erreur est fort quand le texte vous touche profondément. Il vous arrive alors d'y lire autant ce que vous souhaitez y trouver que ce qui y figure réellement.

Pour toutes ces raisons, l'examen détaillé, conçu comme une confrontation des premières trouvailles avec le texte, confrontation effectuée avec une patience de comptable, s'avère toujours une phase fondamentale du travail sur le texte.

● *Repérage-regroupement*

Quand vous rédigerez, directement sur la copie pour l'essentiel, vous ne devrez pas avoir à chercher vos matériaux ou à tenter de les situer dans le texte.

C'est pourquoi, au cours de l'examen détaillé, vous devez procéder au regroupement des *éléments utilisables* du texte (après repérage évidemment), en prenant bien soin d'indiquer leur *emplacement*.

Pour ce travail de relevé systématique et de classement que nous appelons *repérage-regroupement*, il est nécessaire de reprendre la distinction faite plus haut entre ceux qui abordent l'examen détaillé sans avoir une idée nette du plan et ceux qui, au contraire, voient déjà comment va s'organiser le commentaire.

Si vous n'avez pas encore de projet de plan en abordant l'examen détaillé du texte, vous avez quand même quelques idées à la suite du questionnement.

Si, par exemple, vous avez noté dans la recherche du *procédé dominant* que la page étudiée était une description, vous pouvez déjà relever, en les classant sur vos feuilles de brouillon, les sensations (auditives, visuelles, olfactives, etc.), les couleurs et les lumières, les formes, les mouvements, distinguer éventuellement les éléments du décor et ceux concernant l'action qui s'y insère, les éléments vivants des éléments inertes, les manifestations humaines du reste de la description.

De même, la façon dont vous avez répondu à la question : « De quelle manière l'auteur manifeste-t-il sa présence ? » va vous permettre d'organiser une première recherche. Si vous avez noté qu'il intervenait en tant qu'auteur, vous tenterez, sur une feuille à part, de repérer la totalité de ces intrusions. Si elles sont nombreuses, vous pourrez chercher à les classer. Même si ce procédé de l'intervention de l'auteur ne doit pas constituer la matière d'un centre d'intérêt tout entier, ce premier regroupement vous fera gagner du temps par la suite.

Si vous avez déjà en tête les grandes lignes du plan, il faudra faire l'examen détaillé du texte en fonction de ces grandes directions.

Par exemple, si vous avez l'intention de consacrer une partie à démontrer que l'auteur s'implique fortement dans son propos, il faut reprendre le texte de bout en bout, relever avec précision tous les éléments qui confirment cette thèse. Ce relevé sera fait sur une feuille spéciale et vous noterez chaque fois l'emplacement dans le texte de l'élément repéré.

Ce travail, comme dans le cas précédent, permet des vérifications. Il évite, en particulier, de découvrir en plein travail de rédaction que l'on était parti sur une mauvaise piste.

Pour le second centre d'intérêt, et éventuellement pour le troisième, vous procéderez exactement de la même façon.

Vous trouverez, à l'occasion des corrigés qui suivent, des exemples de relevés qui prennent même la forme de tableaux. Il ne s'agit jamais d'une perte de temps. De tels relevés ou de tels tableaux permettent de rédiger au fil de la plume sans avoir à retourner constamment au texte pour trouver ses preuves ou savoir à quel endroit du texte elles se trouvent.

2. Etablissement des grandes lignes du plan

En ce qui concerne l'établissement du plan, nous prendrons nettement nos distances avec ce qui est conseillé dans la plupart des manuels relatifs au commentaire composé.

On vous recommande toujours de ne pas vous lancer dans la rédaction de votre commentaire sans avoir au préalable établi un plan détaillé proche de celui qui figure p. 75. C'est une solution idéale mais, à y regarder de près, peu réaliste dans les conditions de l'examen.

Le plus souvent, il sera plus pratique pour vous de procéder en deux temps. Dans un premier temps, vous déterminerez les grandes lignes de votre plan et vous regrouperez vos matériaux en fonction des centres d'intérêt choisis.

Il vous restera alors un problème à résoudre. Comment organiser les matériaux à l'intérieur de chacun des centres d'intérêt ? Dans ce cas, c'est le plus souvent au moment où l'on aborde la rédaction de la partie concernée que l'on décide d'une organisation des matériaux.

Mais comment trouver ces grandes lignes du plan ? direz-vous. Tout d'abord, une vérité acquise. Il n'existe pas de plans types, de plans passe-partout dans lesquels il serait possible de faire passer la matière de tous les commentaires. Même si l'on s'arrête à un type de texte précis, la *description*, par exemple, il n'est pas possible de proposer, dans l'abstrait, un modèle de plan toujours utilisable.

Cette impossibilité s'explique très bien quand on connaît la nature de l'exercice. Chaque texte, par sa singularité, suscite un plan singulier, même si l'on peut dégager quelques tendances. Ce qui nous permet d'ajouter que s'il existe souvent plusieurs plans possibles pour un texte donné, il y en a toujours un qui est meilleur que les autres.

Nous nous permettons donc, sur cette question, de renvoyer aux corrigés qui suivent et au chapitre récapitulatif sur le plan (pp. 126-141).

COMMENT CONSTRUIRE L'INTRODUCTION ?

Il existe plusieurs façons de construire l'introduction que nous étudierons dans un chapitre spécial. Nous utilisons ici celle qui consiste à répondre successivement aux points 2, 4 et 7 du questionnement : le *thème*, le *procédé* dominant et l'*intention*.

Pour plus de détails, on se reportera au chapitre 5, pp. 88-93.

Tableaux récapitulatifs des opérations à mener devant le texte

Hypothèse 1 : Elève n'ayant pas les lignes de son plan à la suite du questionnement

1	Lecture innocente. Première impression.
2	Questionnement du texte : 1. Genre. 2. Thème. 3. Composante. 4. Procédé. 5. Progression. 6. Auteur. 7. Intention.
3	Examen détaillé du texte < Vérification Repérage-Regroupement
4	Grandes lignes du plan.
5	Rédaction de l'introduction : 1. Thème. 2. Procédé. 3. Intention.
6	Rédaction du commentaire.

Hypothèse 2 : Elève ayant les lignes de son plan à la suite du questionnement

1	Lecture innocente.
2	Questionnement du texte : 1. Genre. 2. Thème. 3. Composante. 4. Procédé. 5. Progression. 6. Auteur. 7. Intention.
3	Grandes lignes du plan.
4	Rédaction de l'introduction : 1. Thème. 2. Procédé. 3. Intention.
5	Examen détaillé du texte < Vérification Repérage-Regroupement
6	Rédaction du commentaire.

4 Premier exemple : étude d'un poème du XIXᵉ siècle

TEXTE A COMMENTER

> O jeunes gens ! Elus ! Fleurs du monde vivant,
> Maîtres du mois d'avril et du soleil levant,
> N'écoutez pas ces gens qui disent : soyez sages !
> La sagesse est de fuir tous ces mornes visages.
> Soyez jeunes, gais, vifs, amoureux, soyez fous !
> O doux amis, vivez, aimez ! Défiez-vous
> De tous ces conseillers douceâtres et sinistres.
> Vous avez l'air joyeux, ce qui déplaît aux cuistres.
> Des cheveux en forêt, noirs, profonds, abondants,
> Le teint frais, le pied sûr, l'œil clair, toutes vos dents ;
> Eux, ridés, épuisés, flétris, édentés, chauves,
> Hideux ; l'envie en deuil clignote en leurs yeux fauves.
> Oh ! comme je les hais, ces solennels grigous.
> Ils composent, avec leur fiel et leurs dégoûts,
> Une sagesse pleine et d'ennui et de jeûnes,
> Et, faite pour les vieux, osent l'offrir aux jeunes !
>
> Victor Hugo, *Océan*.

Ce texte est présenté sans date parce qu'il n'a pas été publié du vivant de Hugo. Il faisait partie des textes inédits et rassemblés après sa mort dans un recueil intitulé *Océan*.

LECTURE INNOCENTE. PREMIÈRES IMPRESSIONS

Se reporter à ce que nous disons p. 46, si vous ne l'avez pas déjà lu.

Nous nous contenterons de rappeler ici la nécessité d'apprendre à lire des vers (pour pouvoir apprécier les effets de rythme), notamment en écoutant des enregistrements.

QUESTIONNEMENT DU TEXTE

1. A quel GENRE littéraire appartient le texte?

Le texte est un poème en alexandrins.

Dès cette première phase du travail, vous pouvez avoir suffisamment compris ce texte pour pouvoir le classer dans un sous-ensemble. Dans le cas contraire, vous passez à la question suivante.

Ce poème, où s'exprime un sentiment personnel, peut, de ce fait, être rattaché à la *poésie lyrique*, mais le caractère excessif de la peinture des vieux nous rapproche aussi de la *poésie satirique*.

Si vous avez une certaine culture littéraire, ce simple classement (qui demande lui-même un minimum de savoir) peut déjà vous fournir quelques pistes de recherche. Ce qu'on a pu vous dire sur d'autres textes satiriques pourra, par exemple, être confronté avec le texte étudié.

2. De quoi est-il question dans le texte? Quel en est le THÈME?

Cette question toute simple a un double intérêt. Elle fournit un élément pour construire l'introduction et elle peut vous aider à trouver des idées.

Vous vous efforcerez de cerner le thème en une seule phrase, ce qui, pour le poème qui nous concerne, donnera :

Extrait d'Océan, ce poème en alexandrins de Victor Hugo oppose avec force la vie généreuse et folle de la jeunesse et l'existence tarie et envieuse des vieillards dont la perfide sagesse cherche à exercer sur eux un ultime pouvoir.

Durant cette phase du questionnement, vous pouvez procéder à une recherche d'idées par comparaison.

Vous commencez par ramener le texte à un résumé très bref. Cette opération, qui ne plairait sans doute pas à l'écrivain, vous amène donc à transformer un texte littéraire en texte d'idées.

Dans un second temps, posez la question : « Qu'est-ce qui distingue le texte littéraire étudié de mon résumé ? »

Nous avons procédé ainsi avec quelques candidats. Vous trouverez ci-dessous notre résumé et leurs réponses.

Résumé :

> *Jeunes gens, vous devez jouir de la vie et vous méfier des conseils que vous donnent les vieux. Ces derniers, en effet, vous proposent une sagesse qui ne convient pas à votre âge.*

A la question : « Quelle impression fait sur vous le poème de Hugo, que ne fait pas ce résumé ? », nous avons obtenu les réponses suivantes :

— « L'auteur s'adresse plus directement aux jeunes » ;
— « On se sent plus concerné » ;
— « On sent qu'il y a une personne derrière » ;
— « Il est un peu emporté par ses arguments. »

Des réponses de ce genre, vous auriez pu les faire vous-même. Elles ne constituent pas l'explication, mais elles fournissent une piste pour la recherche. Il restera, ultérieurement, à poser la question du *pourquoi* et du *comment*.

3. Quelle est la COMPOSANTE principale du texte ?

Il faut envisager le texte en fonction des grandes catégories déjà énumérées : action, conversation, description, réflexion, expression d'un sentiment, rêve.

Ce qui a pu vous échapper au moment de l'étude du genre (dans le cas où vous auriez ignoré ce qu'est la poésie lyrique) doit vous apparaître dans cette phase du questionnement. La composante principale est l'*expression d'un sentiment* personnel. On peut noter aussi la présence d'autres éléments (description, réflexion) et l'absence des autres composantes de notre liste.

4. Quel est le PROCÉDÉ dominant ?

Il est certain que si vous êtes capable de bien répondre à cette question, vous avez déjà fait un grand pas dans la recherche des matériaux du commentaire.

Toutes les questions posées jusque-là, outre qu'elles nous ont permis de cerner le thème, ont conduit à remarquer la forte présence de l'auteur, mais nous n'en sommes pas encore véritablement venus aux procédés.

Les réponses issues de la comparaison texte d'idées-texte littéraire peuvent être exploitées ici. La réponse «L'auteur s'adresse plus directement aux jeunes» montre que l'élève avait pris conscience de l'*apostrophe*.

L'apostrophe est le procédé qui consiste à s'adresser directement à une personne présente ou absente, réelle ou imaginaire. Même si vous ne connaissiez pas le nom de ce procédé, vous pouviez le déceler.

L'apostrophe n'est cependant pas le procédé dominant dans ce texte. Ce qui est primordial, c'est le recours à l'*antithèse*. L'antithèse, nous l'avons vu, est une figure de style qui produit un effet par la confrontation de deux réalités contrastées.

Mais comment, direz-vous, puis-je voir que le procédé dominant est l'antithèse ?

On pourrait envisager toute une batterie de questions, un peu comme sur les ordinateurs, qui, par élimination, arriverait à faire surgir la bonne réponse. Mais, si on part vraiment sans a priori, la liste des questions à poser serait interminable.

Il faut donc bien s'en remettre à l'intuition. Cependant, disons-le tout de suite, nous ne désignons pas par ce terme une inspiration magique venue du ciel. L'intuition ne surgit que dans un esprit préparé. Et c'est pourquoi nous réaffirmons l'idée selon laquelle, pour faire un bon commentaire, il faut une culture littéraire.

Par exemple, pour ce qui nous concerne ici, si vous avez déjà travaillé sur des textes, vous aurez obligatoirement rencontré des effets de contraste. Vous serez donc beaucoup mieux à même de repérer de tels effets.

Par ailleurs, l'antithèse est la figure de style préférée de Victor Hugo. Il pense par antithèse et utilise systématiquement ce procédé. Pour peu qu'on ait étudié un ou deux textes de lui, cette constante de son style a déjà pu être observée. Là encore, c'est le travail au fil des ans qui, d'une façon diffuse, porte ses fruits le jour de l'examen.

Nous n'en sommes plus, en effet, à ce moment du questionnement, au stade de la lecture innocente où il était conseillé d'oublier ce qu'on pouvait savoir. Ce que l'on sait peut, dans cette phase du travail, être utilisé, à condition bien sûr d'être soigneusement confronté avec le texte avant d'être intégré dans le commentaire.

5. Quelle PROGRESSION se réalise dans le texte ?

Il s'agit ici de réfléchir à ce que vous appelez le *plan* du texte. Mais nous n'employons pas cette expression parce qu'elle a trop souvent chez vous un sens statique. Vous découpez le texte en tranches en laissant de côté l'essentiel.

L'étude de la progression revient bien à étudier l'organisation du passage étudié, mais elle doit insister sur les liens entre les différents éléments et sur le caractère dynamique de l'ensemble.

Il est bon, en général, de dégager des grandes masses. Par exemple, dans ce poème, les dix premiers vers sont essentiellement consacrés aux jeunes (évocation ou conseils) et les six derniers aux vieux. Mais les vieux sont déjà évoqués dès le troisième vers et ils le sont encore aux vers 7 et 8. Par conséquent, un simple découpage en tranches ne suffit pas à rendre compte de l'organisation.

Le schéma ci-contre, mieux qu'un long discours, montrera la façon dont les éléments s'entremêlent et se répondent, et comment un poème est souvent une construction savante.

Vous n'aurez sans doute pas le temps d'aboutir à un tel schéma (bien pratique au moment de la rédaction) et nous vous indiquerons plus loin une solution plus simple pour percevoir l'organisation du texte. Mais ce schéma doit vous montrer l'insuffisance des solutions qui se ramènent à un simple tronçonnage.

Dans l'étude de la progression du texte, vous avez donc constaté que Hugo évoque d'abord longuement les jeunes en se servant des vieux comme repoussoirs. Il consacre ensuite les six derniers vers aux vieux.

Si l'on y regarde de plus près, on constate qu'en fait, toute cette dernière partie est construite sur une opposition :

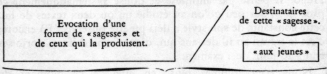

De cette opposition naît un sentiment de scandale, car l'écart est manifeste entre l'origine de cette sagesse et ses destinataires. Mais cette opposition ne prend sa force que parce qu'elle a été préparée dès le début par la présentation des jeunes gens sous des couleurs riantes et par leur opposition aux vieux.

Schéma de l'organisation du texte

SYLLABES VERS	1	2	3	4	5	6	7	8	9	10	11	12
I	O JEUNES											
II												
III	N'ÉCOUTEZ PAS									SOYEZ SAGES		
IV												
V	SOYEZ									SOYEZ FOUS		
VI	DOUX AMIS				VIVEZ		AIMEZ		DÉFIEZ-VOUS			
VII												
VIII	VOUS											
IX												
X												
XI	EUX											
XII												
XIII	COMME JE LES HAIS											
XIV												
XV												
XVI									AUX JEUNES			

Évocation ou description des jeunes.

Évocation ou description des vieux.

Conseils (Vers 3 à 7).

Opposition.　　　Césure.

63

La progression du texte, c'est donc le développement durant seize vers de l'antithèse jeunes/vieux tout entière construite pour aboutir à l'effet de scandale des deux dernières syllabes[1] C'est le mouvement représenté par notre diagonale, qui conduit de « *O jeunes* » à « *aux jeunes* »[1].

Là encore, une certaine pratique de Hugo aurait pu vous aider à percevoir ce type d'effet lié à l'organisation et à la progression du texte. Très souvent, chez cet écrivain, tout le poème est écrit pour l'effet produit par le dernier vers ou le dernier mot, ce qu'on appelle la *chute*.

6. L'AUTEUR manifeste-t-il sa présence dans le texte et comment?

L'auteur — en tant qu'auteur — se manifeste-t-il dans le texte ? Il peut le faire en intervenant à la première personne, en disant *je* ou *nous*. Mais, comme nous l'avons vu, cette seule présence d'un pronom de la première personne n'implique pas une intrusion de l'auteur puisqu'elle peut correspondre à une intervention du narrateur ou d'un personnage.

L'auteur peut aussi se manifester autrement, par exemple, comme le fait Stendhal, en mettant des notes en bas de page.

Il serait possible de poser la question de la présence de l'auteur d'une façon plus large et de s'intéresser aux problèmes du point de vue (cf. p. 43), mais ce n'est pas utile ici. Nous sommes dans une situation très simple. Il n'y a ni narrateur ni personnage prenant la parole. L'auteur dit *je* (v. 13) en son nom. Si nous ne l'avons pas vu avant (à propos de la poésie lyrique et de l'apostrophe), c'est à ce moment que nous serons bien obligés de constater que ce texte est, de bout en bout, l'expression d'un sentiment personnel.

Dès ce moment de l'examen du texte, on peut remarquer que la présence de ce pronom personnel n'est pas la seule marque de l'intervention de l'auteur. L'emploi du mode impératif dans la première partie signalait déjà sa présence.

---

1. Petite question de versification : pourquoi comptons-nous trois syllabes pour *O jeunes* au début du poème et seulement deux pour *aux jeunes* à la fin ?

7. Quelle est l'INTENTION de l'auteur?

L'intention de l'auteur est ici manifeste. Il veut nous faire partager sa révolte contre une certaine catégorie de vieillards.

Dans ce cas particulier, on pourrait compliquer un peu le problème de l'intention en se demandant pourquoi Victor Hugo n'a pas publié ce texte qui aurait très bien pu figurer dans l'un de ses recueils. Peut-être a-t-il craint que ce poème, mal interprété, ne fût perçu comme l'expression d'une haine contre les vieux alors qu'il voulait avant tout nous dire que la sagesse est du côté de la vie ?

Une fois ce questionnement terminé, vous pouvez déjà avoir à l'esprit les grandes lignes de votre plan. Vous examinez alors le texte en fonction de ces orientations. Nous partirons ici de l'hypothèse contraire. Nous imaginons un candidat qui ne sait pas encore très bien comment il va organiser sa matière. Cependant, même dans ce cas, l'exploration du texte ne se fait pas d'une façon anarchique car le questionnement du texte a déjà fait apparaître quelques points d'ancrage.

Ce sont l'*implication de l'auteur* (apparue dans les réponses aux questions 1, 2, 3, 4 et 6) et le procédé de l'*antithèse* (réponse à la question 4 confirmée par la réponse à la question 5). C'est en fonction de ces deux points que le texte sera réexaminé. Il s'agit, rappelons-le, dans cette nouvelle phase du travail, de vérifier si l'on n'a pas commis d'erreur au cours du questionnement et de procéder à un repérage-regroupement qui facilitera la rédaction.

EXAMEN DÉTAILLÉ DU TEXTE

1. L'implication de l'auteur

Le questionnement nous a montré que l'auteur parle « en première personne ». D'autre part, l'idée d'une forte implication de sa part est apparue, notamment au cours de la comparaison entre le résumé et le poème. L'un des élèves interrogés a répondu : « On sent qu'il y a quelqu'un derrière », et un autre : « Il est un peu emporté par ses arguments. »

Cependant, constater cette implication n'est qu'un premier pas. Il faut, pour qu'il y ait vraiment commentaire, s'intéresser au *comment*. Comment, dans ce cas, grâce à quels choix, l'auteur a-t-il provoqué en nous cette impression d'une présence ? Ainsi que l'indique son nom, le commentaire est avant tout l'explication du « comment ? ».

L'examen détaillé est la phase du travail durant laquelle vous opérez des relevés systématiques. Prenez une feuille spéciale sur laquelle vous portez un titre (ici « Implication de l'auteur ») et commencez votre relevé en prenant soin de n'utiliser qu'un seul côté des feuilles.

● Vous aviez repéré un *je* au vers 13. Relisez tout le texte pour voir s'il n'y en a pas d'autres. Vérifiez qu'il s'agit bien d'un *je* d'auteur. Notez alors sur votre feuille l'emplacement et l'élément concerné.

> vers[1] 13   *JE les hais*

Vous pourriez entourer ce pronom directement sur le texte avec un crayon, mais il n'est pas intéressant de surcharger le texte d'annotations. D'autre part, pour la rédaction, il est beaucoup plus pratique de concentrer sur une même feuille tout ce qui se rapporte à un même point.

● Si vous avez remarqué l'emploi du mode impératif, il faut maintenant réexaminer tout le texte pour procéder au relevé systématique, ce qui vous donne :

> **v. 3** *N'écoutez pas...*
> **v. 5** *Soyez jeunes...*   *soyez fous*
> **v. 6**   *... vivez... Défiez-vous*

---

1. Par la suite, nous utiliserons les abréviations **v.** pour vers et **l.** pour ligne.

Dès qu'on a un relevé comme celui-là, il faut voir s'il n'est pas possible d'opérer un classement. Même si l'on n'est pas sûr d'utiliser cette observation, on peut, par exemple, noter ici deux groupes de conseils : les affirmations (« Soyez, soyez, vivez, défiez-vous ») et les négations (« N'écoutez pas... »), ce qui peut conduire à remarquer qu'il est plus intéressant de classer en tenant compte du sens. Si l'on distingue les conseils tournés vers une attitude positive (« Soyez, soyez, vivez ») et les conseils incitant à un refus (« N'écoutez pas, Défiez-vous »), à quoi il faudrait ajouter une injonction qui n'utilise pas le mode impératif (« La sagesse est de fuir »), on obtient le tableau suivant :

v. 5 *Soyez jeunes*	v. 3 *N'écoutez pas*
soyez fous	v. 4 *La sagesse est de fuir*
v. 6 *vivez*	v. 6 *Défiez-vous*

Vous pouvez maintenant réexaminer le poème en vous demandant s'il n'y a pas d'autres éléments utilisables qui se rapportent au point étudié.

Un nouvel examen du texte permet d'enrichir notre relevé

v. 1 *O jeunes gens* v. 6 *O doux amis* v. 13 *Oh! comme je les hais*	Invocation
	Interjection + expression d'un sentiment
v. 1, 3, 5, 6, 13, 16	Points d'exclamation
v. 1 *O jeunes gens + Elus + Fleurs du monde vivant*	Accumulation
v. 5 *jeunes + gais + vifs + amoureux + fous*	

67

— L'*invocation* est une sorte d'interpellation, un appel qui précède souvent une demande ou une prière. Victor Hugo affectionne particulièrement ce procédé puisque, dans son œuvre, on dénombre 124 poèmes qui commencent de cette façon. Notez que le ô de l'invocation prend un accent circonflexe quand il est en minuscule.

— L'*interjection* sert à souligner la force de l'émotion. Hugo utilise aussi très souvent ce procédé.

— L'*accumulation*, définie p. 33, donne souvent le sentiment d'un trop-plein d'âme.

Parmi les procédés qui montrent la force de l'émotion et l'implication de l'auteur, on pourrait noter aussi le caractère très contrasté de l'opposition jeunes/vieux. C'est parce qu'il est « emporté par ses arguments » que Hugo devient partial et même injuste envers les vieux, qu'il en vient à dépasser sa pensée réelle à leur égard. Mais ce point nous ramène à l'antithèse et il vaut mieux l'étudier à part.

2. Le renforcement de l'opposition jeunes/vieux

L'étude de la progression nous avait déjà conduits à constater que le texte était tout entier construit sur une opposition entre les jeunes et les vieux. En examinant comment Hugo s'impliquait dans son propos, nous avons aussi constaté que cette opposition était tranchée, caricaturale. Mais l'étude de cette antithèse peut être poussée plus loin. Il faut comme précédemment *passer du sentiment vague à l'observation minutieuse fondée sur un relevé systématique.*

Prenons, par exemple, l'opposition jeunes/vieux du point de vue physique. Un commentaire superficiel pourrait simplement noter cette opposition en donnant un ou deux exemples. Mais un relevé précis, tel qu'on le trouve ci-après, va permettre de montrer le caractère très construit de l'antithèse et la correspondance terme à terme des éléments. Cela pourra être utilisé par la suite, soit pour souligner l'insistance de Hugo, soit pour attirer l'attention sur le caractère très organisé du texte.

	JEUNES		VIEUX
v. 9	cheveux en forêt, noirs, profonds, abondants	v. 11	chauves
v. 10	teint frais	v. 11	ridés, flétris
v. 10	le pied sûr	v. 11	épuisés
v. 10	l'œil clair	v. 12	yeux fauves
v. 10	toutes vos dents	v. 11	édentés

Notons au passage que Hugo sait bien que la réalité est souvent plus complexe. Il n'ignore pas qu'il existe des hommes chauves à vingt-cinq ans ou des adolescents à la dentition incomplète, alors que certains sexagénaires arborent de belles crinières ou une denture impeccable. Mais, ainsi que nous l'avons vu, son projet d'ensemble le conduit à opter pour le discours *polémique* qui se caractérise justement par l'absence de nuances.

Le relevé des éléments antithétiques peut se faire aussi dans d'autres domaines.

	JEUNES		VIEUX
v. 1	*Elus* (sens de « choisi », « privilégié »)		
v. 1	*Fleurs du monde vivant*		
v. 2	*Maîtres du mois d'avril et du soleil levant*		
v. 5	*(Soyez) jeunes, gais, fous, vifs, amoureux*	v. 4	*mornes visages*
		v. 7	*conseillers douceâtres et sinistres*
v. 8	*l'air joyeux*	v. 8	*cuistres*
		v. 12	*Hideux ; l'envie*
		v. 13	*solennels grigous*
		v. 14	*fiel ; dégoûts*
		v. 15	*ennui ; jeûnes*

Une fois ces relevés faits sur votre brouillon, vous pourrez montrer sans trop de peine comment l'opposition est progressivement enrichie et étoffée tout au long des quinze premiers vers pour préparer l'antithèse qui termine le poème (destination naturelle de la « sagesse »/destination abusive) et provoquer l'effet de scandale recherché.

3. L'organisation du texte

Vous n'aurez sans doute pas le temps de faire un schéma semblable à celui que nous proposons à l'occasion du questionnement. Mais en utilisant des crayons de couleur, on peut faire apparaître rapidement les points essentiels.

Si nous utilisons, par exemple, trois crayons de couleur,
— le rouge pour les jeunes (en caractères romains ci-dessous),
— le bleu pour les vieux (en caractères italiques),
— le vert pour les conseils (en petites capitales), nous obtenons le résultat ci-dessous :

1 O jeunes gens ! Elus ! Fleurs du monde vivant,

2 Maîtres du mois d'avril et du soleil levant,

3 N'ÉCOUTEZ PAS *ces gens qui disent : soyez sages !*

4 LA SAGESSE EST DE FUIR *tous ces mornes visages.*

5 SOYEZ jeunes, gais, vifs, amoureux, SOYEZ fous !

6 O doux amis, VIVEZ, AIMEZ ! DÉFIEZ-VOUS

7 DE *tous ces conseillers douceâtres et sinistres.*

8 Vous avez l'air joyeux, *ce qui déplaît aux cuistres.*

9 Des cheveux en forêt, noirs, profonds, abondants,

10 Le teint frais, le pied sûr, l'œil clair, toutes vos dents ;

11 *Eux, ridés, épuisés, flétris, édentés, chauves,*

12 *Hideux ; l'envie en deuil clignote en leurs yeux fauves.*

13 *Oh ! comme je les hais, ces solennels grigous.*

14 *Ils composent, avec leur fiel et leurs dégoûts,*

15 *Une sagesse pleine et d'ennui et de jeûnes,*

16 *Et, faite pour les vieux, osent l'offrir aux jeunes !*

Vous pouvez faire apparaître d'autres éléments en entourant ou en reliant certains mots ou expressions par un trait, mais, tout en évitant une surcharge excessive, pensez à utiliser un crayon plutôt qu'un feutre, de façon à pouvoir revenir sur une erreur.

4. Le recours à l'image

En étudiant la façon dont sont caractérisés les jeunes gens, vous pouvez être arrêté par les expressions qui ouvrent le poème :
— « *Fleurs* du monde *vivant* » ;
— « Maîtres du mois *d'avril* » ;
— (Maîtres) « du *soleil levant* ».

Nous constatons que les jeunes gens ne sont pas décrits dans cette évocation et que, pourtant, ils sont déjà l'objet de certaines déterminations. Ils sont assimilés à des *fleurs*, associés au printemps (*avril*), c'est-à-dire au premier temps, au début de l'année si l'on considère les rythmes de la nature, et au début du jour (*soleil levant*), autant d'éléments qui évoquent la fraîcheur et le renouveau de la vie.

Même un élève qui n'aurait pas lu ce que nous disons dans le chapitre 2 sur les connotations et les images aurait pu noter l'association entre les jeunes à l'aube de la vie et un réseau de réalités concrètes qui évoquent la fraîcheur des commencements.

5. Les ressources de la versification

Dans les lignes précédentes, nous avons constaté qu'un élève, même non initié à la stylistique, pouvait repérer certains choix significatifs de l'auteur. Le problème se pose un peu différemment à propos de la versification. Il n'est pas possible de faire un commentaire judicieux dans ce domaine si l'on ne possède pas une information minimale.

Mais, comme vous le verrez ci-dessous, les notions nécessaires pour comprendre les possibilités expressives du vers ne sont pas d'une complexité excessive.

Le seul fait qu'un texte soit écrit en vers indique déjà que l'on se situe dans un certain registre, mais, contrairement à ce que vous pensez souvent, un type de vers ne s'associe pas automatiquement à une catégorie donnée de sentiments. L'alexandrin, comme c'est le cas ici, convient bien au genre *lyrique* (expression de sentiments personnels), mais il peut être utilisé à des fins comiques.

Dans le texte qui nous concerne, l'emploi du vers permet, en particulier, des effets de rythme. Nous n'en indiquerons que deux :
— la mise en relief par le *rejet* ;
— le renforcement des oppositions.

— *Le rejet* consiste à ne pas terminer la phrase grammaticale à la rime, donc en fin de vers, mais à en reporter le dernier élément au début du vers suivant. L'élément rejeté en début de vers est d'autant mieux mis en évidence qu'il est court.
Les vers 11 et 12 nous fournissent un bon exemple de ce procédé :

11. *Eux, ridés, épuisés, flétris, édentés, chauves,*
12. *Hideux ;* ....

Le mot *hideux*, moins descriptif et plus général que les qualificatifs précédents et qui en est comme un raccourci, se détache nettement entre deux pauses : celle plus ou moins importante qui se situe toujours à la fin d'un vers et celle qui correspond à la fin d'une phrase grammaticale. Il y a donc bien une mise en relief, grâce aux ressources de la versification, d'un mot jugé important par l'auteur.
Cette remarque pourrait être utilisée dans un développement qui montrerait l'insistance et la partialité de Hugo dans sa peinture des vieux.
Le renforcement des oppositions peut être obtenu de deux façons. L'opposition sera d'autant plus nette que les éléments contrastés occuperont la même place dans des vers différents. C'est le cas des oppositions ci-dessous :

Vous ⟷ *Eux* :　　　　　première syllabe des vers 8 et 11.
Soyez sages ⟷ *Soyez fous* : trois dernières syllabes des vers 3 et 5.

D'autre part, l'alexandrin, par sa structure, se prête bien à l'antithèse. En effet, dans sa forme traditionnelle, à laquelle Hugo reste souvent fidèle, l'alexandrin est constitué de deux hémistiches de six syllabes séparés par une pause plus ou moins marquée qu'on appelle la césure (cf. p. 28).

Cette symétrie par rapport à la césure permet de rendre plus nettes les oppositions. Après Corneille, Hugo en usera fréquemment. Il n'en abuse pas dans ce texte, mais le v. 8 en donne un bon exemple :

« Vous avez l'air joyeux,/ce qui déplaît aux cuistres. »

L'antithèse du dernier vers entre les destinataires naturels de cette « sagesse » et ses destinataires par abus bénéficie aussi de ce renforcement :

« Et, faite pour les vieux,/osent l'offrir aux jeunes ! »

LE PLAN DU COMMENTAIRE

Les impressions nées du questionnement (*forte implication de l'auteur* et *importance de l'antithèse*) ont été confirmées par l'examen détaillé du texte. Par ailleurs, en relation avec l'étude de l'antithèse, nous avons noté le *caractère très construit* du poème.

Les éléments relevés à propos de ces trois points sont suffisamment abondants pour qu'il soit possible de constituer trois centres d'intérêt. Il reste maintenant à choisir un ordre d'exposition.

Nous avons été tentés, dans un premier temps, par un plan qui aurait comporté trois centres d'intérêt et aurait présenté ces différents éléments dans l'ordre suivant :

    I. Organisation du texte ;
    II. Etude de l'antithèse ;
    III. Implication de l'auteur.

Mais nous avons été gênés parce que ce plan ne correspond pas à l'ordre de découverte du texte. Ce qui frappe d'abord (les réactions des élèves à la question 2 en témoignent), c'est l'engagement de Hugo dans son discours, les autres éléments n'apparaissant qu'ensuite ou n'apparaissant que comme une conséquence de ce premier point.

Ce premier ordre d'exposition a aussi un inconvénient majeur. Si elle est bien faite, l'étude du premier centre d'intérêt oblige à anticiper et « mange » la matière des autres centres d'intérêt. D'autre part, un autre ordre permet des enchaînements logiques naturels.

Soit l'ordre :

    I. Implication de l'auteur ;
    II. Etude de l'antithèse ;
    III. Etude de l'organisation.

Nous constatons que les enchaînements se font d'eux-mêmes. Le côté très contrasté de la peinture des deux générations peut être mis au compte de l'emportement de l'auteur. Mais, pour ne pas avoir une partie trop lourde, on peut simplement signaler ce point en fin de première partie et le développer dans la partie suivante. Il en va de même de l'étude de l'organisation, qui aurait pu s'intégrer dans l'étude de l'antithèse. Mais il s'avère plus intéressant, pour l'équilibre des proportions et même d'un point de vue logique, de l'étudier à part.

INTRODUCTION

Sont indiqués : *nom de l'auteur*
et *nom du recueil*.

Introduction de type *thème/
procédé/intention* +
orientations du
plan.

PREMIER CENTRE D'INTÉRÊT
L'implication de l'auteur

— emploi de la première personne du singulier
— emploi du mode impératif
— invocation, interjection, points d'exclamation
— accumulation et insistance
— caractère tranché de l'opposition

Donc

total engagement de Hugo dans son propos

DEUXIÈME CENTRE D'INTÉRÊT
Insistance sur l'opposition jeunes-vieux

— opposition sur le plan physique
— recours à la métaphore
— opposition des réseaux de vocabulaire

Donc

une opposition très tranchée, caricaturale

TROISIÈME CENTRE D'INTÉRÊT
Organisation du texte

— le jeu des oppositions
— le renforcement de l'antithèse finale

Donc

un art concerté

CONCLUSION

Non pas un ramassis
de banalités ou la répétition
du développement,
mais une *récapitulation* ferme
de ce qui a été dit
et la *conséquence* qu'on en tire.

Il n'est pas réaliste de vous demander, avant même le début de la rédaction, d'aboutir à un plan aussi précis que celui représenté par le schéma ci-dessus. Mais l'examen de ce plan achevé permet de faire quelques constatations.

Tout d'abord, chaque partie est elle-même construite. Elle débouche, en particulier, sur une conclusion. On ne passe à l'étude du centre d'intérêt suivant qu'après une récapitulation qui permet un rapide rappel des acquisitions.

Par ailleurs, les parties ne sont pas simplement juxtaposées. Les flèches indiquent l'existence d'un enchaînement logique.

RÉDACTION DE L'INTRODUCTION

Nous rappellerons simplement ici que l'introduction doit comporter obligatoirement le *nom de l'auteur*, le *titre de l'œuvre* d'où le texte est tiré qui sera souligné comme doivent l'être tous les titres d'œuvres, éventuellement le *titre du texte* (entre guillemets) s'il s'agit de poésie, et l'*esquisse du plan*.

Il existe plusieurs façons de construire l'introduction, qui seront envisagées dans le chapitre suivant. Nous utilisons ici le procédé que nous conseillons pp. 91-92 (Thème/Procédé/Intention), mais on pourra lire p. 90 une autre introduction qui aurait pu convenir pour le même poème.

COMMENTAIRE
ET
COMMENTAIRE DU COMMENTAIRE

Nous proposons dans les pages qui suivent un commentaire composé rédigé de bout en bout. Il va de soi qu'il ne s'agit que d'une possibilité parmi d'autres.

En regard de ce commentaire qui figure sur la page de gauche, nous expliquons ce qui a motivé nos choix, tant sur le plan des idées que sur celui de l'organisation du devoir. Ces explications sont évidemment en rapport direct avec les considérations d'ordre général des pages précédentes.

Le même procédé est utilisé pages 96 et suivantes à propos du commentaire d'un texte de Flaubert.

Pour que la lecture de ce texte et des remarques qui sont en regard soit profitable, il est nécessaire que vous ayez vous-même tenté de rédiger un commentaire. C'est seulement en observant comment ont été surmontées les difficultés que vous avez rencontrées, que vous ferez des progrès.

D'une façon générale, vous remarquerez que ce commentaire reste près du texte. Il s'y réfère constamment. Les allusions à d'autres œuvres sont rares et tout à fait accessoires.

Du point de vue niveau, ce commentaire correspond à ce que peuvent faire de bons élèves, comme on pourra le constater en lisant les *Bonnes copies du baccalauréat* (Ed. Hatier, collection « Profil Formation », n° 349-350).

Extrait d'*Océan*, ce poème en alexandrins de Victor Hugo oppose avec force la vie généreuse et folle de la jeunesse et l'existence tarie et envieuse des vieillards dont la perfide sagesse cherche à exercer sur elle un ultime pouvoir.

La force de l'opposition se traduit par le caractère presque caricatural de l'antithèse entre jeunes et vieux autour de laquelle tout le poème est bâti, et par l'extrême vivacité de l'apostrophe aux jeunes qui constitue une véritable exhortation à résister aux conseils hypocrites des vieillards.

Cette volonté de tenir la jeunesse à l'abri des conseils hypocrites gouverne le ton véhément et presque révolté de ce poème où l'auteur a voulu, par une implication personnelle marquée et l'opposition partiale de deux univers, convaincre le lecteur que la sagesse est du côté de la vie.

Ce qui frappe à la première lecture, c'est la violence du ton et la façon dont l'auteur s'engage totalement dans ce qu'il écrit. Lorsqu'ils font la critique des conduites humaines, les moralistes gardent souvent leurs distances. Ils sont de simples témoins et même, comme les auteurs de fables, ils s'abritent derrière le jeu des allusions.

Rien de tel chez Hugo. Les intéressés sont nettement et directement désignés et l'auteur écrit à la première personne du singulier. Il ne dit « je », il est vrai, qu'au treizième vers, mais c'est devant un verbe dont le sens est particulièrement fort (« Je les hais »). Et dès le début, d'une façon abrupte, il emploie le mode impératif (« N'écoutez pas... »). Il y recourt ensuite à plusieurs reprises (« Soyez... » ; « Vivez, aimez... » ; « Défiez-vous... »). Cet emploi d'un mode qui sert à donner des ordres ou des conseils suggère fortement la présence de celui qui s'exprime. Nous sommes loin, par exemple, de ce caractère abstrait et impersonnel qu'ont souvent les maximes.

La forte implication de l'auteur dans son propos est aussi soulignée par le recours à l'invocation au début du poème et au début du vers 6 (« O jeunes gens !.../O doux amis... ») et l'emploi de l'interjection « Oh ! » au début du vers 13, qui, d'une certaine façon, sur un tout autre registre, leur fait écho. La fréquence des points d'exclamation elle-même tend à faire ressortir la vivacité de ce mouvement d'humeur.

Commentaire du commentaire

THÈME (une phrase)

PROCÉDÉ (une phrase)
  dominant

INTENTION (une phrase)
  Les orientations
  du plan sont
  données.

INTRODUCTION
du type
thème-procédé-intention
(une autre possibilité
d'introduction, p. 90)

Le commentaire commence par ce qui est la première impression. Les orientations du plan ont été données dans l'introduction, mais le commentaire correspond cependant à un mouvement de découverte progressive du texte.

Utilisation de l'un des relevés faits au cours de l'examen détaillé. Si ce relevé n'est pas fait avant le début de la rédaction, cette rédaction est constamment interrompue par la recherche d'éléments et le fil de la pensée se perd.

Reprise de l'idée de la ligne 17. Il faut s'intéresser essentiellement au texte, mais des remarques incidentes de ce genre qui naissent d'une comparaison sont possibles.

Le développement porte toujours sur l'implication de l'auteur. Les éléments relevés précédemment (emploi du pronom + mode impératif) étaient de nature purement grammaticale. Nous faisons maintenant intervenir l'analyse de certains procédés.

Enfin, le fait que Hugo soit véritablement pris par son sujet apparaît aussi dans la manière dont il insiste dans la présentation de ses personnages. Cherchant à caractériser les jeunes gens, il n'hésite pas, dès les deux premiers vers, à accumuler les qualificatifs. De même, quand, du vers 9 au vers 12, il évoque les caractéristiques physiques des deux générations, il ne se contente pas d'une esquisse, mais compare, en s'appesantissant, la pilosité, le teint, la démarche, le regard et la dentition.

Victor Hugo, par l'emploi de ces différents procédés, donne donc l'impression d'un homme profondément révolté. Il est en proie à un violent mouvement d'humeur qui le conduit — aux antipodes de l'humour — à écrire au premier degré et à se mettre au premier plan, comme si la violence du sentiment, par son caractère irrépressible, empêchait tout détachement.

Le caractère entièrement engagé de Hugo, dans ces quelques vers, apparaît aussi dans la façon extrêmement tranchée dont il peint les deux groupes opposés. Le contraste sur le plan physique est vraiment poussé à l'extrême. Les oppositions terme à terme sont radicales : « Des cheveux en forêt, noirs, profonds, abondants » s'opposent à « chauves », « le teint frais » à « ridés »… « flétris », « l'œil clair » à « leurs yeux fauves » et « toutes vos dents » à « édentés ». La description confine à la caricature.

Au passage, on pourrait se demander pourquoi les cheveux des adolescents sont « noirs » et non pas blonds ou châtains. Répondre que la toison du héros romantique est souvent de cette couleur ne donne qu'à moitié satisfaction. En fait, Hugo, sans vouloir s'arrêter trop longtemps, veut simplement indiquer qu'ils sont d'une couleur franche et donc ni gris ni poivre et sel comme ceux des personnes plus âgées.

Dans cette évocation des deux générations, les cheveux tiennent d'ailleurs une place importante (un vers entier pour les jeunes et une mise en évidence en fin de vers du mot « chauves » pour les vieux) et cela se comprend aisément. Les cheveux ont toujours eu une valeur de symbole et depuis la plus haute antiquité leur abondance ou un traitement particulier a servi aux jeunes gens à manifester leur rupture avec les générations précédentes.

Commentaire du commentaire (suite)

Le procédé de l'accumulation est noté, mais on analyse en même temps ce qu'il veut traduire.

« Victor Hugo… donne DONC… » : le développement sur ce premier centre d'intérêt se termine, comme ce doit toujours être le cas, par une conclusion qui fait la synthèse.

« Le caractère entièrement engagé de Hugo… apparaît aussi… » : la transition ne pose aucun problème, puisque cette partie a été extraite de la précédente par souci d'équilibre. Mais il est cependant nécessaire de souligner ce passage d'un point à un autre.

La rédaction de ces quelques lignes est très facile si l'on a fait, au préalable, un tableau comme celui de la page 69.

Remarque qui n'est pas indispensable, mais qui prouve au moins que le texte est lu avec attention et curiosité, que l'on connaît les lois du genre polémique et que l'on possède quelques informations sur l'époque.

Le développement n'est pas gratuit. Il part d'une observation du texte (un vers entier consacré aux cheveux des jeunes + mise en valeur du mot *chauve*).

81

Mais Victor Hugo ne se contente pas de marquer très concrètement l'opposition relative à l'aspect physique. Un jeu de métaphores relatives aux jeunes gens va, par exemple, ouvrir le poème sur une impression de fraîcheur radieuse. Ces « élus », terme employé dans le sens de « choisi », « privilégié », sont associés à des « fleurs », au « mois d'avril », c'est-à-dire au printemps et au lever du jour. Cette association s'explique sans peine. Comme chez Ronsard dans l'*Ode à Cassandre* (« Mignonne, allons voir si la rose... ») et chez bien d'autres poètes, la jeunesse d'un être est associée à celle d'une fleur à peine éclose. Quant au printemps et à l'aube, ils sont au début de l'année et au début du jour comme ces jeunes gens chevelus sont au début de la vie.

Au vocabulaire concernant les jeunes (« Elus », « gais, vifs, amoureux... », « fous ») s'oppose le réseau des mots qui caractérisent les vieux (« douceâtres et sinistres », « cuistres », « hideux », « grigous », « fiel », « dégoûts », « ennui », « jeûnes »), vocabulaire qui montre la répulsion de celui qui parle, mais aussi son sentiment que les vieux sont hypocrites et en proie à l'envie (« douceâtres », « solennels », « fiel »). Ces notations nous permettent de supposer que Victor Hugo ne pense pas à tous les vieux, mais à la catégorie bien spéciale de ceux qui donnent de bons conseils par dépit de ne plus pouvoir donner de mauvais exemples.

Pour accentuer encore l'opposition entre ceux vers qui va sa sympathie (« O doux amis...) et ceux qui ont suscité ce mouvement de colère (« je les hais »), Victor Hugo utilise les ressources de la versification. Par exemple, le rejet du mot « hideux » au début du vers 12 met ce terme particulièrement en évidence. Ainsi mis en exergue, le mot apparaît comme le résumé vigoureux du vers qui précède. L'articulation des deux hémistiches de l'alexandrin autour de la césure permet aussi de renforcer l'opposition :

« Vous avez l'air joyeux,/ce qui déplaît aux cuistres. »

Ce procédé, comme nous le verrons plus loin, est repris dans le dernier vers avec encore plus de netteté.

Par des procédés divers, Victor Hugo a donc poussé à l'extrême l'opposition entre les deux groupes. La violence du sentiment qui l'emporte semble l'empêcher d'entrer dans les nuances. Comprendre, c'est déjà cheminer en direction du pardon et, manifestement, il n'a pas envie de pardonner.

Commentaïre du commentaire (suite)

L'étude des métaphores (« fleurs » ; « fleurs… du mois d'avril et du soleil levant ») qui servent à caractériser les jeunes gens s'intègre très naturellement dans cette partie du développement.

Comme c'est très souvent le cas, les métaphores constituent un réseau, et, de ce fait, se renforcent les unes les autres, ce que le commentaire doit évidemment souligner.

Le procédé de la métaphore est accessoire dans ce poème et il n'était donc pas question de lui consacrer une partie, mais le cas peut se présenter où l'utilisation massive d'un procédé justifie qu'on lui consacre la totalité d'un centre d'intérêt.

Toujours le souci de s'appuyer sur le texte.

On notera que, parmi les nombreux mots qui servent à caractériser les vieux, nous avons opéré un classement. Les éléments se rattachant à l'envie et à l'hypocrisie sont regroupés à part.

Dès que les éléments relevés sont nombreux, il faut toujours voir s'il n'est pas possible de les répartir en sous-ensembles.

Si l'on a déjà rencontré dans l'étude d'un poème en vers le procédé du *rejet*, il sera beaucoup plus facile de le relever ici. A noter que l'effet du rejet est d'autant plus fort que l'élément rejeté au début du vers est court.

Ce type de commentaire est difficile, sinon impossible, pour celui qui n'a pas la moindre notion de versification.

« … Victor Hugo a DONC poussé à l'extrême l'opposition… » : comme dans le cas précédent, le développement sur le centre d'intérêt se termine par une conclusion.

De nombreux éléments du texte contribuent donc à traduire la violence du sentiment qui anime l'auteur au moment où il écrit. Mais si cette violence empêche Hugo de nuancer son propos, elle ne l'empêche pas de construire son poème. Quand on circule dans le texte, on constate, en effet, que tout un jeu d'oppositions le structure et s'ajoute pour les renforcer aux oppositions que nous avons déjà relevées. A la même place dans l'alexandrin — les trois dernières syllabes —, le « soyez fous » du vers 5 correspond au « soyez sages » du vers 3. Au « Vous », première syllabe du vers 8, répond le « Eux », première syllabe du vers 11. De même qu'à « O doux amis », premières syllabes du vers 6, répond le « Oh ! comme je les hais » par lequel commence le vers 13. Sans compter l'opposition « jeûnes »-« jeunes » dans les deux dernières rimes et l'expression « aux jeunes » par laquelle se termine le texte qui renvoie à l'invocation « O jeunes... » par laquelle il commence.

Tous ces jeux d'opposition, renforcés par le parallélisme des constructions, n'ont rien de gratuit. Ils convergent pour donner toute sa puissance à l'antithèse contenue dans le dernier vers.

La structure de l'alexandrin permet déjà de souligner l'opposition entre l'origine de la sagesse proposée et ses destinataires, ce qui permet d'en faire ressortir l'inadéquation :

« Et, faite pour les vieux,/osent l'offrir aux jeunes ! »

Mais cette opposition tire sa force de tout le reste du poème. Dans le même ordre d'idées, si le « aux jeunes » qui termine le texte produit le sentiment d'un scandale, c'est qu'à elles seules, ces trois syllabes s'opposent à la totalité des cinq derniers vers, lesquels peignent les vieux sous un jour peu reluisant. L'examen de la façon dont sont répartis les points d'exclamation conduirait aux mêmes conclusions. Nombreux dans les premières lignes, ils disparaissent pratiquement des dix vers qui précèdent le point d'exclamation final. Le silence dans ce domaine joue dans le même sens que les autres procédés.

Victor Hugo a donc agencé les constituants de son poème avec soin afin « de préparer son effet ». Ainsi que cela se produit souvent chez lui, le texte est le lieu d'une organisation savante, minutieusement élaborée pour donner tout son éclat au coup de cymbale du dernier vers.

Commentaire du commentaire (suite)

Aucun élément à la fin de la partie précédente ne préparait la transition. C'est donc au début de cette partie que le lien doit être établi (« De nombreux éléments... contribuent DONC... Mais si... »).

Cette étude de l'organisation ne reste pas dans le vague. Les emplacements sont notés :
— « A la même place dans l'alexandrin... vers 5... vers 3 » ;
— « ...première syllabe... vers 8... première syllabe... vers 3 » ;
— Première syllabe... vers 6... commence le vers 13. »

Cette précision permet de mettre en évidence le parallélisme des constructions dont il est parlé immédiatement après.

Il est nécessaire, comme nous le faisons ici, de rester très près du texte et d'appuyer ses affirmations sur des citations de la page étudiée.

Pas de notation d'un procédé sans analyse de l'effet recherché. Nous restons fidèles à ce principe.

La structure de l'alexandrin au service du renforcement de l'antithèse. Procédé fréquemment utilisé par Corneille (« A vaincre sans péril,/on triomphe sans gloire ») et par Hugo.

C'est à la fin du commentaire qu'arrive l'analyse de l'effet final préparé par tout le texte. Cet ordre n'est pas imposé par les conventions du genre, mais il faut avouer qu'ici cela s'impose presque.

Tout compte dans un texte, même la ponctuation.

Comme dans les deux cas précédents, le développement d'une partie se termine par une conclusion.

L'étude de ce poème nous a permis de découvrir un exemple de littérature polémique, mais dans lequel la fureur satirique n'est que le revers du grand amour de la vie qui a toujours animé Hugo. Elle a aussi permis de constater que, même lorsqu'il s'implique avec violence dans son discours, Victor Hugo continue d'organiser les oppositions avec virtuosité. Il est ému, mais son émotion est dominée, mise en forme, orchestrée. Au point que, sans oublier tout à fait le thème relativement banal, on reste surtout frappé par cette volupté de dire à l'intérieur d'une mécanique bien réglée.

Commentaire du commentaire (suite)

1. Une récapitulation

Les trois éléments du développement sont repris d'une façon très synthétique (caractère excessif de l'opposition + implication + caractère construit du texte).

2. Un jugement sur la réussite

Avec une petite réticence (« le thème relativement banal ») est dégagée *l'impression d'ensemble* qui ressort de l'analyse du texte.

Nous sommes en présence d'une *conclusion fermée* (cf. p. 113), c'est-à-dire d'une conclusion qui ne débouche pas sur un nouveau problème. Notons cependant que les derniers mots apportent quand même un « plus » par rapport à l'ensemble du développement.

5 La rédaction de l'introduction

Les introductions sont très souvent mauvaises. C'est pourquoi, en dépit des conseils déjà donnés, il nous a semblé nécessaire de revenir sur ce point.

L'INTRODUCTION A ÉVITER

> Victor Hugo est un grand poète romantique du XIXᵉ siècle. Il s'est toujours intéressé à la jeunesse et c'est ce qu'il fait aussi dans ce poème.
>
> Nous étudierons tout d'abord, dans une première partie, la façon dont il affirme sa position, puis nous verrons dans une seconde partie comment il peint d'une façon contrastée les jeunes et les vieux. Enfin, dans une troisième partie, nous verrons comment est construit le poème.

Cette introduction comporte un certain nombre de défauts que nous énumérerons ci-dessous.

1. Le *nom de l'auteur* du texte à commenter figure dans l'introduction et c'est un point positif. Mais il fallait aussi, dès le début, indiquer le *nom du recueil* d'où est tiré le poème.

2. Il n'y a rien de faux dans la première phrase, mais c'est une phrase passe-partout, qui pourrait servir pour tous les poèmes de Hugo. Et parce qu'elle pourrait servir pour tous, elle ne convient à aucun. Si vous voulez partir d'une idée générale, ce qui est tout à fait acceptable, vous devez tenir compte de la spécificité du texte.

3. Les différentes parties du plan sont annoncées avec lourdeur. Il faut bien obéir aux conventions du genre, mais il faut le faire avec une certaine discrétion. L'introduction n'a pas à annoncer le plan avec cette insistance. Elle doit simplement indiquer des orientations de façon à suggérer le développement sans le déflorer.

L'INTRODUCTION SITUANT LE TEXTE
DANS L'ŒUVRE

Ce type d'introduction consiste à situer un poème dans un recueil (quand celui-ci est construit) ou, pour un extrait de théâtre ou de roman, à résumer brièvement ce qui précède. Dans ce cas, le résumé ne doit retenir que les éléments de l'œuvre utiles à la compréhension du texte.

Vous trouverez ci-dessous deux exemples correspondant à ces deux situations :

> Baudelaire consacra une vingtaine de poèmes des *Fleurs du Mal* à la ville, s'attachant à la fois à ce qui en fait la beauté et l'horreur. D'abord dispersés dans l'ensemble du recueil, ces poèmes, à l'occasion de la seconde édition, seront regroupés dans la deuxième partie de l'œuvre, partie intitulée « Tableaux parisiens » qui fait suite à « Spleen et Idéal ». « Le crépuscule du matin » est le dernier des dix-sept poèmes qui composent les « Tableaux parisiens ». (Viennent alors les orientations du plan.)

Le second exemple concerne le texte de Flaubert étudié dans le chapitre suivant :

> Flaubert, dans *Salammbô*, raconte la révolte qui, au IIIe siècle avant Jésus-Christ, dressa des mercenaires d'origines diverses contre Carthage, puissante cité qui les avait employés. Après plusieurs péripéties et, en particulier, un épisode au cours duquel ces mercenaires insultent des lions crucifiés, les Carthaginois réussissent à enfermer leurs ennemis dans un défilé obstrué par une herse. L'extrait qui nous concerne décrit, d'une façon à la fois très picturale et très scénique, les derniers moments de l'armée vaincue.

Ce type d'introduction, qui correspond aussi à la présentation d'une explication de texte, est toujours possible. Il est en particulier utile pour les textes de théâtre dont la signification est souvent étroitement tributaire de ce qui précède.

Cependant de telles introductions ne sont vraiment possibles que lorsque l'œuvre d'où est tiré le texte est au programme. Elle permet, dans ce cas, de voir si vous connaissez bien l'œuvre et si vous êtes capable de choisir dans tout ce qui précède les seuls éléments utiles.

Mais les commentaires, au baccalauréat, ne portant pas sur des œuvres au programme, une introduction de ce genre n'est possible que dans le cas exceptionnel où vous avez une parfaite connaissance de l'œuvre d'où est tiré le passage à commenter.

L'INTRODUCTION SITUANT LE TEXTE
DANS UN CONTEXTE

Ce type d'introduction est celui auquel vous êtes le plus habitué. Il consiste, comme pour l'introduction d'une dissertation, à partir d'une idée générale pour en venir ensuite au problème concerné. Nous proposons ci-dessous une introduction de ce genre, qui correspond au poème de Victor Hugo commenté dans le chapitre précédent.

> Victor Hugo est, pour beaucoup de gens aujourd'hui, le vieillard à la barbe fleurie qui écrivit *L'art d'être grand-père*, un ouvrage où les rapports entre générations sont empreints de sympathie. De ce fait, un grand nombre de ses lecteurs éprouveraient une certaine surprise devant ce poème — resté il est vrai dans ses tiroirs et recueilli après sa mort dans *Océan* — où les vieux sont violemment pris à partie.
>
> Mais à y regarder de près, on se retrouve quand même en pays connu. Le caractère partial et injuste du point de vue tient aux lois du genre polémique qu'affectionne Hugo. Et, dans ce petit texte, comme nous le verrons, se retrouvent les principales composantes de l'art hugolien, c'est-à-dire une forte implication de l'auteur dans son propos, une prédisposition pour l'antithèse et une orchestration savante des différents éléments.

Cette forme d'introduction permet au correcteur de noter au passage que vous possédez une certaine culture littéraire et elle permet de ne pas aborder le texte d'une façon trop abrupte. En cela, elle correspond à un mode d'exposition naturel, car lorsque nous voulons aborder un problème avec un auditoire, nous commençons souvent par situer ce problème dans un contexte plus large.

Pour rédiger une introduction de ce genre, il faut cependant avoir une connaissance du contexte, ce qui n'est pas toujours votre cas. Cette méconnaissance du contexte vous conduit soit à commencer par une banalité, soit à faire un véritable exercice d'acrobatie pour établir un lien entre l'idée de départ et le texte. C'est pourquoi, sans rejeter cette forme d'introduction, nous proposerons une autre solution.

L'INTRODUCTION
THÈME-PROCÉDÉ-INTENTION

L'introduction du type thème-procédé-intention a l'avantage de ne pas exiger des connaissances extérieures au texte. Cette forme d'introduction comporte trois phases qui sont les réponses aux points 2, 4 et 7 de notre questionnement du texte (cf. p. 47) :

1. De quoi est-il question dans le texte ? Quel en est le THÈME ?

2. Quel est le PROCÉDÉ dominant ?

3. Quelle est l'INTENTION de l'auteur ?

Il faut s'imposer la discipline de n'*avoir recours qu'à une seule phrase pour répondre à chacune de ces questions*.

On pourra trouver excessive et même artificielle cette dernière demande. Et cela d'autant plus que l'on recommande souvent aux élèves de faire des phrases courtes. Il nous paraît cependant intéressant de leur imposer cette contrainte pour éviter tout risque de délayage. Cette procédure donne aussi à l'introduction un caractère très structuré qui ne peut qu'impressionner favorablement le correcteur.

Premier exemple :

Le premier exemple concerne le texte de Victor Hugo commenté dans le chapitre précédent. On pourra retrouver cette introduction intégrée dans un commentaire entièrement rédigé à la page 78.

Extrait d'*Océan*, ce poème en alexandrins de Victor Hugo oppose avec force la vie généreuse et folle de la jeunesse et l'existence tarie et envieuse des vieillards dont la perfide sagesse cherche à exercer sur elle un ultime pouvoir.

THÈME :
Réponse *en une phrase* au point 2 du questionnement.

La force de l'opposition se traduit par le caractère presque caricatural de l'antithèse entre jeunes et vieux autour de laquelle tout le poème est bâti, et par l'extrême vivacité de l'apostrophe aux jeunes qui constitue une véritable exhortation à résister aux conseils hypocrites des vieillards.

PROCÉDÉ :
Réponse *en une phrase* au point 4 du questionnement.

Cette volonté de tenir la jeunesse à l'abri des conseils hypocrites gouverne le ton véhément et presque révolté de ce poème où l'auteur a voulu, par une implication personnelle marquée et l'opposition partiale de deux univers, convaincre le lecteur que la sagesse est du côté de la vie.

INTENTION :
Réponse *en une phrase* au point 7 du questionnement.

Second exemple :

Cet exemple correspond au texte de la page 95 pour lequel nous venons de proposer un autre type d'introduction. Il est intégré dans le commentaire corrigé qui commence page 102.

Dans ces quelques lignes extraites du chapitre XIX de *Salammbô*, Flaubert décrit ce qui subsiste d'une armée qui achève de se décomposer sous le soleil d'Afrique.

D'abord consacrée à la description des monceaux de cadavres et de lions assoupis, la scène s'anime progressivement, mais d'une façon qui ne fait qu'accentuer le sentiment d'une défaite définitive.

A la fois tableau et spectacle, cette scène permet à Flaubert de frapper l'imagination de son lecteur par une sorte de somptuosité dans l'horreur et par l'évolution de la tension dramatique jusqu'au petit coup de théâtre de la dernière ligne.

On pourrait faire remarquer que le rédacteur de cette introduction montre d'emblée son jeu. Il évoque le mouvement du texte ainsi que son double aspect de tableau (avec une impression dominante de « somptuosité dans l'horreur ») et de spectacle (avec montée de la tension dramatique jusqu'au coup de théâtre final). D'une certaine façon, cela pourrait être considéré comme une maladresse puisque ce rédacteur supprime la possibilité de jouer sur un effet de curiosité qui consisterait à dévoiler progressivement, au fil du développement, la richesse du texte.

Cette seconde possibilité n'est pas à écarter, mais, si l'on veut tenir compte des conditions très particulières dans lesquelles se trouve le correcteur, il nous semble préférable de commencer par une introduction très nourrie qui montrera tout de suite que le commentaire repose sur des fondations solides.

D'une façon générale, nous pensons que l'introduction et la conclusion doivent avoir de la consistance et ne pas se ramener à de simples appendices qui ont l'air de n'être là que pour respecter les lois du genre.

6 Second exemple : étude d'un extrait de roman du XIXe siècle

Le texte étudié ici a été proposé sans être situé dans le roman, ce qui contraignait le candidat à l'étudier comme un texte autonome. Il est certain qu'une mise en situation aurait aidé les candidats, permis un commentaire plus riche et évité les anachronismes comme celui de l'élève qui, à propos des hommes dont le cadavre est resté intact, dit qu'« ils ont été simplement tués par balle ».

Ce passage était suivi de la recommandation suivante :

« Vous pourrez, par exemple, vous attacher à étudier les jeux de contraste, immobilité et mouvement, bruits et silence, lumière et couleurs, ainsi que les éléments stylistiques utilisés. »

Remarquons tout de suite qu'un tel libellé ne vous autorise absolument pas à faire un plan en deux parties ainsi constitué :

1. Les effets de contraste.
2. Les effets stylistiques.

Tout d'abord, parce que les effets de contraste sont eux-mêmes des effets stylistiques. Ensuite, parce que l'indication « les éléments stylistiques utilisés » est le type même de l'indication vide. Elle pourrait valoir pour tous les textes et n'apporte donc rien d'intéressant pour ce texte particulier. Elle s'efforce simplement d'indiquer qu'il ne faut pas se limiter aux effets de contraste et rappelle à ceux qui ne le sauraient pas encore le jour du baccalauréat que le commentaire ne doit pas se limiter à l'étude du contenu.

Sur l'étendue de la plaine, des lions et des cadavres étaient couchés, et les morts se confondaient avec des vêtements et des armures. A presque tous, le visage ou bien un bras manquait ; quelques-uns paraissaient
5 intacts encore ; d'autres étaient desséchés complètement et des crânes poudreux emplissaient des casques ; des pieds qui n'avaient plus de chair sortaient tout droit des cnémides, des squelettes gardaient leurs manteaux ; des ossements, nettoyés par le soleil, faisaient des taches
10 luisantes au milieu du sable.

Les lions reposaient la poitrine contre le sol et les deux pattes allongées, tout en clignant leurs paupières sous l'éclat du jour, exagéré par la réverbération des roches blanches. D'autres, assis sur leur croupe, regardaient
15 fixement devant eux ; ou bien, à demi perdus dans leurs grosses crinières, ils dormaient roulés en boule, et tous avaient l'air repus, las, ennuyés. Ils étaient immobiles comme la montagne et comme les morts. La nuit descendait ; de larges bandes rouges rayaient le ciel à
20 l'occident.

Dans un de ces amas qui bosselaient irrégulièrement la plaine, quelque chose de plus vague qu'un spectre se leva. Alors un des lions se mit à marcher, découpant avec sa forme monstrueuse une ombre noire sur le fond
25 du ciel pourpre ; quand il fut tout près de l'homme, il le renversa d'un seul coup de patte.

Puis étalé dessus à plat ventre, du bout de ses crocs, lentement, il étirait les entrailles.

Ensuite il ouvrit sa gueule toute grande, et durant
30 quelques minutes il poussa un long rugissement, que les échos de la montagne répétèrent, et qui se perdit enfin dans la solitude.

Tout à coup, de petits graviers roulèrent d'en haut. On entendit un frôlement de pas rapides, et du côté de la
35 herse, du côté de la gorge, des museaux pointus, des oreilles droites parurent ; des prunelles fauves brillaient. C'étaient les chacals arrivant pour manger les restes.

Le Carthaginois, qui regardait penché du haut du précipice, s'en retourna.

Gustave Flaubert, *Salammbô*, 1862.

LECTURE INNOCENTE. PREMIÈRES IMPRESSIONS

Nous ne mentionnons ici cette rubrique que pour rappeler qu'il ne faut pas se ruer sur le texte la tête pleine de préjugés et d'idées toutes faites. Si vous n'avez pas lu ce que nous disons sur cette phase du travail, reportez-vous page 46.

QUESTIONNEMENT DU TEXTE

1. A quel GENRE littéraire appartient le texte?

Nous sommes en présence d'un extrait de roman. A noter que, du fait de l'absence de mise en situation de ce texte, c'est seulement le nom de Flaubert et le titre de l'œuvre qui nous permettent de deviner qu'il s'agit d'un roman et non d'un poème en prose. L'allusion au Carthaginois, dans l'avant dernière ligne, autorisait cependant à supposer que cette page s'intégrait dans un ensemble plus vaste.

Si l'on tente de ranger ce texte dans un sous-ensemble, il est possible d'éliminer certaines catégories comme le roman psychologique, mais il faut rester prudent. Quand on possède quelques connaissances sur l'auteur, on peut avoir envie de préciser « roman réaliste ». Il faut cependant se méfier des étiquettes. A ce moment de votre travail, il vaut mieux se contenter de poser un problème : *si l'on se limite à ce seul passage, est-il possible de parler d'une esthétique réaliste?*

2. De quoi est-il question dans le texte? Quel en est le THÈME?

Dès maintenant, vous pouvez répondre en une phrase à ce point du questionnement et vous serez en possession de la première phrase de votre introduction

> « Dans ces quelques lignes extraites du chapitre XIV de *Salammbô*, Flaubert décrit ce qui subsiste d'une armée qui achève de se décomposer sous le soleil d'Afrique. »

Un esprit pointilleux pourrait remarquer que nous omettons un élément important en ne signalant pas que cette scène se situe dans l'Antiquité. Nous nous sommes simplement mis dans la peau d'un candidat qui ne sait pas ce que c'est qu'une cnémide, qui ne situe pas bien l'apogée de Carthage sur l'échelle du temps et qui n'a jamais lu *Salammbô*[1].

3. Quelle est la COMPOSANTE principale du texte ?

Si nécessaire, reportez-vous p. 48 pour savoir à quoi se rapporte ce terme de « composante » que nous employons faute d'en avoir trouvé un meilleur.

La composante principale du texte est manifestement la *description*, mais à l'intérieur de cette description est située une *action* qui constitue une sorte de petit drame.

Il peut être aussi intéressant de noter la totale absence des autres composantes (conversation, réflexion, expression d'un sentiment, rêve).

4. Quel est le PROCÉDÉ dominant ?

Nous savons déjà que le texte entre dans la catégorie description, mais qu'il comporte aussi une action.

A ce niveau, le libellé du sujet peut nous aider (« Vous pourrez, par exemple, vous attacher à étudier les jeux de contraste, immobilité et mouvement, bruits et silence, lumière et couleurs, ainsi que les éléments stylistiques utilisés »).

L'étude des lumières et des couleurs peut progressivement vous faire prendre conscience de la recherche d'un effet plastique et de la volonté qu'a l'auteur d'aboutir à un *tableau*.

L'étude du contraste entre immobilité et mouvement, bruit et silence, peut, de son côté, faire ressentir la façon dont la scène s'anime progressivement et le souci de l'auteur de jouer sur la tension dramatique. D'où prise de conscience du fait que ce tableau est aussi une *scène*.

Ce dernier point nous a amenés à anticiper sur la question suivante, ce qui n'a rien de gênant.

---

1. C'est le mot *Carthaginois* qui nous permet de situer la scène en Afrique. L'élève qui ne sait pas où se trouve Carthage ne pourrait pas être aussi précis. Mais, après tout, le baccalauréat a aussi pour but de vérifier le niveau des connaissances et l'on peut exiger d'un futur bachelier qu'il sache localiser cette ville riche d'histoire.

5. Quelle PROGRESSION se réalise dans le texte?

Les points 3 et 4 du questionnement nous ont amenés à prendre conscience du rôle important joué par le temps dans cette description et dans cette action.

La progression concerne tout d'abord le décor. La scène nous fait passer insensiblement du jour (lumière éclatante) au crépuscule (deux notations sur le rouge de l'horizon) et à la nuit (suggérée par les yeux des chacals et le fait que ces animaux ne sortent que la nuit).

La progression concerne aussi l'action. Immobilité tout d'abord (dans les deux premiers paragraphes, soit presque la moitié du texte). Puis soudainement, tranchant sur ce qui précède, une scène brutale (mouvement et bruit). Et à peine le rugissement du lion s'est-il tu que s'amorce le troisième temps du drame avec l'arrivée des chacals.

Il est évident, dès ce moment du questionnement, qu'il sera nécessaire d'accorder une place importante à cette évolution de la scène dans le développement.

6. L'AUTEUR manifeste-t-il sa présence dans le texte et comment?

Il ne faut pas répondre à cette question en s'appuyant sur ce qu'on peut savoir de Flaubert, mais, comme toujours, en examinant attentivement le texte et en recherchant un indice.

Aussi minutieux soit-il, cet examen ne peut aboutir qu'à une conclusion nette : l'auteur ne manifeste sa présence, en tant qu'auteur, à aucun moment. Ni pour ajouter une remarque, ni pour exprimer un sentiment. La scène est vue par un observateur impassible qui pourrait être le Carthaginois penché sur le bord du précipice.

7. Quelle est l'INTENTION de l'auteur?

Nous sommes obligés de laisser de côté les points relatifs à l'*intention* de l'auteur qui ne peuvent être perçus que par une réinsertion de ce passage dans l'ensemble de l'œuvre.

Du point de vue de l'action, ce passage, qui se situe à la fin du roman, est la réponse définitive à la question que le lecteur pouvait se poser dès le début du livre sur l'issue du conflit, la fin d'un suspens. Dans cette perspective, le rôle du Carthaginois apparaît très clairement. Il part pour rendre compte à ses supérieurs de la destruction complète de l'armée des mercenaires.

Ce texte correspond aussi à un effet d'écho comme il s'en présente souvent dans les romans de Flaubert. Au début du livre, les mercenaires s'éloignant de Carthage rencontrent des lions crucifiés (crucifiés par des populations qui pensent ainsi effrayer les lions vivants). Ces mercenaires insultent les lions et leur jettent des pierres.

Le fait que le lion, au milieu du texte, tue le seul homme vivant, correspond à une notation réaliste. A la différence des chacals, les lions ne mangent pas les cadavres. Mais ce point de l'action rappelle — si l'évocation en parallèle des cadavres et des lions n'avait pas suffi — que le spectacle de désolation qui s'offre à nos yeux est aussi le résultat de la vengeance des lions. L'ensemble en acquiert une dimension fantastique qui échappe évidemment au lecteur non averti.

Comme le font très souvent les écrivains, Flaubert a préparé son effet. Une dizaine de pages avant le passage étudié, un mercenaire crucifié dit à son frère d'infortune :
— «Te rappelles-tu les lions sur la route de Sicca ?»

Une certaine familiarité avec l'œuvre de Flaubert aurait permis de pressentir la présence d'un effet de ce genre, mais cela ne pouvait être évoqué qu'incidemment (ainsi que nous le faisons dans notre conclusion).

Mais si, dépourvus de toutes connaissances sur l'œuvre, nous étudions ce passage comme un texte autonome, il faut se limiter à l'intention qui peut apparaître à sa seule lecture. Flaubert s'y montre soucieux de frapper fortement l'imagination de son lecteur par l'exotisme de la scène, la façon très picturale dont sont évoqués les éléments du décor et l'organisation de l'ensemble comme un petit drame.

GRANDES LIGNES DU PLAN

Dès la fin du questionnement, le candidat, dont l'attention a été souvent attirée sur le caractère pictural de la description et sur le rôle du temps, peut percevoir les lignes d'un plan simple et efficace qui pourrait conduire à étudier ce texte, dans un premier temps, comme un *tableau* et dans un second temps comme une *scène* qui évolue.

EXAMEN DÉTAILLÉ DU TEXTE

Nous sommes donc dans l'hypothèse où, dès la fin du questionnement, vous avez compris quelles pouvaient être les grandes lignes de votre développement.

C'est en fonction de ces grandes lignes que vous allez réexaminer le texte pour *contrôler* la pertinence de vos premières observations et établir les *relevés systématiques* qui rendront plus aisée la rédaction.

Vous prenez donc une feuille sur laquelle vous écrivez en titre « Tableau » et que vous barrez au dos d'une diagonale pour ne pas être tenté d'utiliser ce côté de la feuille.

Et vous procédez à différentes lectures du texte en fonction de vos préoccupations, *en veillant bien à ne rien oublier*. Peut-être n'utiliserez-vous pas toute la matière de vos relevés, mais, dans cette phase du travail, il est indispensable d'être minutieux et systématique.

Soit, par exemple, le relevé des notations relatives aux sensations ; vous devez aboutir à un tableau proche de celui-ci :

	sensations visuelles	sensations auditives	autres sensations
l. 17	l. 9-10 : ossements : taches luisantes sur le sable l. 13 : éclat du jour l. 13-14 : réverbération des roches blanches		
l. 32	l. 19 : larges bandes rouges l. 24-25 : ombre noire + ciel pourpre	l. 30 : rugissement (quelques minutes)	
	l. 36 : prunelles fauves + brillaient	l. 34 : un frôlement	

Sur ce tableau, les lignes en pointillé distinguent les trois moments de la journée évoqués dans le questionnement. Un simple examen de ce relevé permet d'en tirer un certain nombre de remarques. Par exemple :

— prépondérance nette des notations visuelles, qui confirme notre impression d'une recherche d'effet plastique ;

— absence de sensations autres que celles concernant l'oreille et l'œil. Notamment, absence de sensations olfactives, qui accentue peut-être le sentiment que l'observateur est assez éloigné de la scène ;

— arrivée assez tardive des sensations auditives et leur nature très opposée.

Nous nous en tiendrons là pour l'examen détaillé puisque vous devez maintenant en avoir compris le principe. Mais, pour chaque partie, et pour chaque point soulevé au cours du questionnement, vous devez procéder exactement de la même manière [1].

RÉDACTION DE L'INTRODUCTION

On trouvera deux types d'introduction pour ce texte aux pp. 89-92. Pour le corrigé qui suit, nous avons opté pour la formule qui a notre préférence, c'est-à-dire pour l'introduction de type thème-procédé-intention.

---

1. Faites-le, à titre d'exercice, pour « immobilité et mouvement ».

COMMENTAIRE RÉDIGÉ

Dans ces quelques lignes extraites du chapitre XIV de *Salammbô*, Flaubert décrit les restes d'une armée qui achève de se décomposer sous le soleil d'Afrique.

D'abord consacrée à la description des monceaux de cadavres et des lions assoupis, la scène s'anime progressivement, mais d'une façon qui ne fait qu'accentuer le sentiment d'une défaite définitive.

A la fois tableau et spectacle, cette scène permet à Flaubert de frapper l'imagination de son lecteur par une sorte de somptuosité dans l'horreur et par l'évolution de la tension dramatique jusqu'au petit coup de théâtre de la dernière ligne.

On sait que Flaubert n'accepta jamais, de son vivant, la publication d'une édition illustrée de *Salammbô*, car, disait-il, « la plus belle description littéraire est dévorée par le dessin ». Une simple gravure n'aurait pu, en effet, que distraire le lecteur et l'empêcher de succomber à l'emprise du texte.

Mais s'il refuse la concurrence déloyale de la gravure insérée dans le texte, Flaubert semble vouloir rivaliser avec les grandes compositions picturales de son époque. Par la touche d'exotisme, relativement discrète et historique tout d'abord (les « cnémides »), mais qui devient déterminante avec le thème central des lions et que complètent, dans le haut du tableau, les chacals. Mais outre cet exotisme du sujet, qui fait penser à Delacroix, c'est surtout la façon dont la scène est perçue qui évoque les grands tableaux de genre. Le peintre semble avoir planté son chevalet à l'endroit même où est installé le seul témoin, à un emplacement qui permet d'avoir une vision globale, nous dirions aujourd'hui panoramique, de son sujet.

Les grandes lignes du décor sont données au fil du texte (« Sur l'étendue de la plaine », « le soleil », « le sable », « les roches blanches », « la montagne », « du côté de la gorge »), si bien que, même sans avoir lu le roman, on a à la fois un sentiment d'espace et d'emprisonnement.

Mais cette distance par rapport au sujet n'empêche pas l'observation réaliste. Les lions, regroupés en trois catégories selon leurs attitudes et qui semblent « repus, las, ennuyés » du

Commentaire du commentaire

THÈME

PROCÉDÉ (description et action)

INTENTION (En même temps les deux parties du devoir — tableau et spectacle — sont annoncées.)

INTRODUCTION selon le schéma thème/procédé/intention.

La connaissance d'un élément extérieur au texte permet d'amener le problème, mais il serait possible de commencer plus directement.

Les *cnémides* sont une sorte de protège-tibia en fer doublé de cuir à l'intérieur. Le texte permettait de deviner qu'il s'agissait d'un élément d'armure se rapportant aux jambes. Le caractère inusité du terme, s'ajoutant à l'évocation des armures et même des manteaux, aurait suffi, si le texte avait été donné sans indications, à situer la scène dans un passé lointain.

Vous constatez que le problème du point de vue est abordé nettement, mais pas d'une façon gratuite

Dans cette partie, depuis «On sait que Flaubert n'accepta jamais... »), consacrée à l'aspect «tableau» du texte, les éléments sont regroupés :
1. Le point de vue,
2. Les grandes lignes du décor,
3. La description réaliste,
4. Les couleurs

fait d'une surabondance de nourriture, sont bien vus. Quant aux cadavres, l'auteur ne craint pas d'effaroucher les âmes sensibles et décrit crûment les têtes et les bras arrachés, les pieds décharnés, avec même une sorte d'impassibilité clinique. A côté de ces hommes morts depuis peu, des « crânes poudreux », des « ossements, nettoyés par le soleil » permettent de comprendre que le désastre de cette armée ne date pas de la veille.

Les chacals eux-mêmes, décrits avant d'être nommés, comme pour épouser le processus qui veut que la perception des détails précède l'identification, sont nettement caractérisés (« museaux pointus », « oreilles droites », « prunelles fauves »).

Dans l'utilisation de la couleur, Flaubert ne cède pas à la tentation du pittoresque ou à une virtuosité qui nuirait à la grandeur tragique de la scène. Pas d'allusion au carmin du sang ou au chatoiement des armures dans la description des cadavres amoncelés. Simplement la lumière et le blanc déjà suggérés par « armures » et « poudreux » et qui éclatent dans les dernières lignes du premier paragraphe : « Des ossements, nettoyés par le soleil, faisaient des taches luisantes au milieu du sable », notation reprise peu après : « l'éclat du jour, exagéré par la réverbération des roches blanches ».

Plus loin, la recherche de l'effet pictural reste nette avec la silhouette du lion se détachant sur l'horizon : « découpant avec sa forme monstrueuse une ombre noire sur le fond du ciel pourpre ». Il semble en être de même dans les dernières lignes où l'expression « des prunelles fauves brillaient » frappe d'autant plus qu'elle est la seule notation de couleur du paragraphe.

Le souci d'une organisation de l'espace, l'acuité du regard et l'utilisation consciente des effets de couleur que nous constatons dans ces quelques lignes correspondent à la volonté de Flaubert d'aboutir à un tableau, ou, pour parler comme lui, à une description littéraire. Il veut, à sa façon, faire concurrence à la grande peinture et pouvoir dire à son tour : « Moi aussi, je suis peintre ! »

Mais si les éléments picturaux y jouent un grand rôle, ce texte est, tout autant qu'un tableau, un drame au sens propre du

Commentaire du commentaire (suite)

Nous avons noté l'impassibilité de l'auteur, mais nous n'en tirons pas la conséquence, ce qui est contradictoire avec ce que nous disons dans l'encadré de la page 21. En fait, nous parlerons plus loin de l'effet produit à propos d'une notation du même genre.

Le réalisme consiste ici à retrouver l'ordre réel, perception/identification. On retrouvera le même processus plus loin, à propos du spectre.

Dans l'énumération des éléments picturaux, nous avons gardé pour la fin l'élément le plus fort, c'est-à-dire les couleurs. Cette étude des couleurs se fait tout naturellement en suivant dans l'ordre les trois temps du texte.

Au mot *pourpre* s'attachent des connotations très fortes : idées de splendeur, de cérémonie.

Le développement sur ce centre d'intérêt, comme cela doit toujours se produire, se termine par une conclusion.
Une *récapitulation* et un « plus » constitué par les deux allusions expliquées ci-dessous.
La première allusion (« faire concurrence à la grande peinture ») évoque en s'y opposant la formule de Balzac qui disait qu'en tant que romancier, il voulait « faire concurrence à l'état civil ».

« *Moi aussi, je suis peintre !* » fait allusion à une phrase prononcée par le peintre italien le Corrège (1489-1534) devant terme. Le romancier dispose, en effet, d'un élément dont le peintre n'a pas la maîtrise. Il peut manipuler le temps à sa guise et Flaubert ne s'en prive pas ici. Bien que l'on passe insensiblement de l'une à l'autre, trois phases très nettes correspondant à trois moments (jour-crépuscule-nuit) peuvent être distinguées dans le déroulement des événements.

C'est tout d'abord, dans les deux premiers paragraphes, l'un consacré aux morts et l'autre aux lions, le monde de l'immobilité et du silence. Pas un bruit, pas un mouvement, excepté le clignement d'yeux de quelques lions.

Puis brusquement la scène s'anime pour atteindre rapidement un paroxysme dans l'horreur.

Enfin, autres mouvements, autres bruits, les chacals, ces frères de la nuit dévoreurs de cadavres, arrivent. Animation plus discrète, qui correspond à un relâchement de la tension dramatique, mais à une progression dans l'horreur.

Dans la phase centrale de ce spectacle, on peut même distinguer différents temps. C'est tout d'abord une présence dont l'indétermination est marquée d'une façon très redondante (« Quelque chose de plus vague qu'un spectre ») et dont on ne saura que quelques lignes plus loin qu'il s'agit d'un homme. En face, un lion qui, lui, n'a rien de fantomatique. « Un coup de patte » termine brutalement cet épisode comme il termine brièvement la phrase. Vient ensuite une scène horrible, décrite tout aussi placidement et pour les mêmes raisons (accentuer encore cette horreur) que les cadavres mutilés du premier paragraphe. Enfin, premiers bruits dans un monde jusque-là parfaitement silencieux : les rugissements d'un lion repu.

Après la longue immobilité des deux premiers paragraphes, cette scène s'anime donc jusqu'à la fin, avec en son milieu un paroxysme dans la violence et l'horreur, lequel frappe d'autant plus qu'il vient à la suite d'une scène paisible. L'homme (vivant) est pratiquement absent de ce spectacle grandiose, mais il apparaît brusquement dans le petit coup de théâtre de la dernière ligne où nous découvrons que Flaubert nous a amenés, d'une certaine façon, à regarder le spectacle par les yeux d'un observateur carthaginois. Un témoin impassible et discret, placé dans un lieu d'observation privilégié, et qui est chargé de rendre compte. Au fond, la définition de l'écrivain réaliste.

un tableau de Raphaël qui décida de sa vocation.

L'essentiel du développement est annoncé dès la première phrase.

Nous dégageons les trois moments importants assez rapidement avant de revenir sur le moment central, le plus intéressant du point de vue de l'action. Si l'on s'était attardé tout de suite sur l'épisode central, la mise en évidence de ces trois temps de l'action aurait perdu en netteté.

Début de l'étude du moment central de la scène. On suivra ensuite, tout naturellement, le déroulement du texte.

La *redondance* est un effet d'insistance. Un « spectre » est déjà une forme aux contours mal définis. Le mot « vague » accentue cette impression de flou. « Quelque chose » renchérit encore sur cet enchérissement. Le processus perception/identification ayant été déjà analysé à propos des chacals, nous passons rapidement.

L'effet de l'impassibilité de l'auteur est évoqué rapidement, mais comme nous le disons plus loin, il serait possible de s'attarder plus longuement sur le détachement de l'auteur par rapport à la scène.

Récapitulation qui constitue la conclusion de cette partie avant d'évoquer rapidement l'effet produit par la dernière ligne

La remarque sur ce témoin fournirait une transition facile pour passer à une partie sur le détachement de l'auteur par rapport au spectacle.

A noter que même, s'il n'a pas lu le roman, le lecteur du texte à commenter peut deviner sans peine le rôle que joue cet observateur carthaginois.

Recréation du monde antique très plastique, mais dominée par le tragique, un peu à la façon des Parnassiens, lieu d'une véritable scène s'articulant en trois grands moments, cet extrait de *Salammbô* apparaît comme un petit poème en prose qui pourrait se suffire à lui-même, mais qui s'enrichirait certainement d'éclairages nouveaux s'il était resitué dans l'ensemble du roman.

Flaubert, selon sa doctrine qui voulait que l'écrivain fût dans son œuvre comme Dieu dans sa création, présent partout, visible nulle part, s'efface complètement derrière le spectacle, mais il se manifeste par tout un ensemble de choix qui convergent pour donner à la fois le sentiment du vécu et de l'intemporel. Ce qui est sans doute l'ambition de tous les romanciers.

Remarque sur la conclusion

La conclusion comporte une récapitulation et une ouverture :

1. Nous n'hésitons pas à récapituler presque lourdement. Les deux grandes directions du plan (tableau/spectacle) sont rappelées. Mais à la récapitulation s'ajoute un élément nouveau (le parallèle avec les Parnassiens).

2. La conclusion se termine sur une ouverture, une réflexion sur le métier de romancier.

Remarques sur ce commentaire

Pour ce corrigé, comme pour le précédent, nous avons essayé d'aboutir à un résultat assez proche de celui auquel pourrait aboutir un bon élève dans les conditions de l'examen. Mais il serait possible de développer plus encore.

Par exemple, la remarque sur l'observateur cathaginois aurait pu servir de transition en direction d'une partie qui aurait porté sur le réalisme de Flaubert. Cette partie aurait montré combien le souci du vrai peut s'allier à la recherche du beau. Il aurait été aussi possible d'y montrer comment la phrase très oratoire de Flaubert contribue à accentuer le sentiment d'un complet détachement du « présentateur ».

Sur la possibilité d'une autre façon de concevoir le plan pour ce texte, se reporter aux pages 129-132.

La rédaction de la conclusion $\boxed{7}$

La conclusion est souvent négligée. D'abord, parce que, ne vous étant pas entraîné à travailler en temps limité, vous ne réussissez pas, le jour de l'examen, à lui consacrer le temps qu'elle mérite. Ensuite, parce que vous n'avez pas suffisamment réfléchi au rôle qui lui est dévolu. Après avoir évoqué les défauts les plus fréquemment rencontrés, nous vous amènerons donc à comprendre comment la construction de la conclusion découle tout naturellement de sa fonction.

LES CONCLUSIONS A ÉVITER

Les mauvaises conclusions qui figurent à la fin des copies peuvent se ramener aux différentes catégories énumérées ci-dessous:

1. La conclusion bâclée

La conclusion bâclée du type :

« *On constate donc, à travers toute cette analyse, que l'auteur a fait preuve d'un art littéraire consommé,* » n'est pas rare.

C'est généralement celle que vous faites quand le surveillant de salle s'approche du pupitre où vous terminez votre devoir dans l'affolement pour vous arracher une copie qui devrait être déjà rendue. Vous sentez bien que ce n'est pas suffisant.

Pour éviter ce genre de désagrément, répétons-le, il faut, dès la classe de Seconde, apprendre à travailler dans les conditions de l'examen.

2. La conclusion banale

La conclusion banale est fréquemment du même genre que la précédente. La banalité est aussi souvent le fait du manque de temps que du manque d'idées. Elle consiste à répéter, à propos de l'art d'un écrivain dont on vient de commenter une page, un lieu commun usé jusqu'à la corde (la sensibilité de l'auteur, l'art de la description, ou, selon le cas, du dialogue, du récit, etc.). Il ne faut pas oublier que répondre à la question *qui porte sur la réussite d'un écrivain dans une page* vous oblige à dépasser ces expressions toutes faites pour définir le *moyen original de cette réussite.*

3. La conclusion comme simple récapitulation

Ce type de conclusion se ramène à répéter les conclusions de chaque partie sans véritablement conclure. Par exemple, à propos du texte de la page 134, si vous écrivez en conclusion :

> *« Dans ce passage, Flaubert a montré, à travers la description des deux personnages, que Charles est gêné et maladroit tandis qu'Emma est gracieuse et entreprenante. »*

Cela, le développement nous l'a appris d'une façon plus élégante et plus complète. Le résumer n'est utile que si l'on veut en tirer une conclusion plus étoffée ou passer à un élargissement.

4. La conclusion, simple jugement sur l'auteur

Pensant avoir tout dit, vous terminez sur un simple jugement de qualité. Par exemple :

> *« Après avoir examiné tous ces éléments, force nous est de conclure que la réussite descriptive de Flaubert dans ce passage est totale. »*

Vous exprimez un avis, un jugement de goût, mais vous oubliez de rappeler les questions posées et les points examinés. Le lecteur est surpris et s'égare devant une fin aussi abrupte.

5. La conclusion toute prête

Vous aviez dans votre cartouchière une citation du meilleur tonneau et quelques phrases bien tournées. Et, au lieu d'exprimer tout simplement un jugement personnel, vous réalisez des acrobaties pour *« placer votre marchandise »*. Pour convaincre, les dernières lignes doivent donner le sentiment de découler naturellement et même nécessairement de ce qui précède, et non donner le sentiment d'un placage de connaissances gardées en mémoire.

D'un point de vue général, on évitera aussi de commencer la conclusion par des formules comme « *En conclusion...* » ou « *Pour conclure...* ». Vous pouvez faire sentir d'une façon plus élégante qu'on en arrive au dénouement.

FONCTION DE LA CONCLUSION

La conclusion est particulièrement importante parce que, étant la dernière partie du devoir à être lue, elle doit laisser une bonne impression et si possible une impression forte.

Mais vous n'êtes pas toujours convaincu de cette importance. Au terme de l'épreuve, lassé par un effort prolongé de conception et de rédaction, estimant — parfois à juste titre — être parvenu à apporter des réponses aux questions adressées au texte, vous n'en voyez pas toujours l'intérêt. Avec la conclusion, vous avez souvent l'impression d'une surenchère inutile, d'une répétition gratuite ou purement esthétique de ce qui a été dit, d'un appendice rhétorique dont il serait agréable de se dispenser, d'un exercice totalement artificiel.

A cette interrogation sur le rôle réel de la conclusion, on pourrait répondre d'abord qu'elle sert à marquer nettement qu'une réflexion sur un texte, commencée cinq ou six pages plus haut, est parvenue à quelque chose. Elle est le lieu où l'on montre que l'on n'a pas écrit pour rien, et que, d'interrogations multiples sur le texte, on est passé à des *réponses*.

La conclusion doit montrer que l'on n'a pas réfléchi en vain. Elle doit donc contenir, à propos des questions suscitées par le texte et traitées dans le commentaire, une *réponse globale*, apte à faire voir que l'analyse a produit un résultat.

Il ne s'agit pas d'une simple répétition très abrégée du contenu des différents centres d'intérêt. L'ensemble du développement vous a, en principe, permis d'étudier dans le détail et avec ordre les procédés mis en œuvre pour produire certains effets. *La question qui se pose alors naturellement au moment de conclure est celle de l'adéquation des procédés à l'effet, ou, en*

*termes simples, celle de la RÉUSSITE (ou de l'échec) de l'auteur
dans le passage à commenter.*

Il n'est pas interdit, à condition d'argumenter soigneusement
son jugement, de conclure à l'échec d'un auteur. Il est toutefois
mieux admis, surtout lorsqu'il s'agit d'auteurs classiques ou
confirmés comme ceux qui sont proposés au baccalauréat, de
conclure à leur réussite[1].

Cette question de la réussite de l'auteur peut sembler banale,
mais il n'est pas possible de l'éviter. S'habituer, en fin de trajet,
à poser régulièrement *la question de l'art de l'écrivain dans la
page concernée*, c'est d'ailleurs se donner un moyen facile de ne
jamais demeurer sans réaction devant l'obligation d'écrire cette
partie du commentaire, courte mais indispensable, qu'est la
conclusion.

LA CONSTRUCTION DE LA CONCLUSION

Avant de rédiger votre conclusion, relisez l'ensemble de votre
devoir. Reconstituez sa logique. Dans l'introduction, vous avez
répondu successivement à trois questions : thème ? procédé ?
intention ? Dans le corps du devoir, vous avez montré comment
certains effets étaient produits dans le texte et avec quels
moyens littéraires. Dans la conclusion, au terme de ce trajet, il
vous faut maintenant dire d'une manière argumentée si ces
moyens ou procédés ont été employés d'une façon satisfaisante.
Il vous faut poser la question de la *réussite* de l'auteur dans le
texte et dans les choix littéraires qu'il y fait.

Mais la réponse à cette question ne peut arriver brutalement,
sans que le lecteur y ait été préparé par une petite récapitulation.
La conclusion doit être d'abord le lieu où la réflexion se
rassemble. Il va donc falloir d'abord résumer les principaux
acquis du développement.

Une bonne conclusion peut s'en tenir à cela : récapitulation et
jugement sur le degré de réussite de l'auteur. Cependant, on
conseille souvent de procéder dans un troisième temps à un
élargissement.

---

1. Que faire alors si le texte vous paraît franchement mauvais ? Nous n'hésitons
pas à le dire : choisissez l'un des deux autres sujets.

L'*élargissement* consiste à ouvrir la conclusion sur de nouvelles analyses ou de nouvelles idées. C'est une solution possible, mais non obligatoire.

Toutes les conclusions se ramèneront donc à l'un de ces deux modèles :

1. LA CONCLUSION FERMÉE

1. Récapitulation
2. Jugement sur la réussite de l'auteur

} Ce type de conclusion qui se contente de verrouiller fermement le développement est tout à fait acceptable.

2. LA CONCLUSION OUVERTE

1. Récapitulation
2. Jugement sur la réussite de l'auteur
3. Elargissement

} Ce type de conclusion cherche à donner le sentiment d'une pensée toujours en éveil et qui, ayant résolu un problème, ne s'en satisfait pas pour autant.

La conclusion du commentaire corrigé du poème de Hugo (p. 86) correspond au premier de ces deux types ; la conclusion du corrigé sur l'extrait de *Salammbô* (p. 108), au second.

8 Troisième exemple : étude d'un poème du xxᵉ siècle

Le poème ci-contre est extrait du recueil de Paul Valéry intitulé *Charmes*.

Le mot qui sert de titre à ce recueil est pris dans un sens moderne qui évoque, surtout dans l'adjectif *charmant*, quelque chose d'agréable, de plaisant. Mais Valéry pense aussi à un sens plus ancien (venu du mot latin *carmen*) qui restera en usage jusqu'au xviiᵉ siècle et même après chez certains auteurs (sens de « pouvoir magique, qui vous ensorcelle », encore conservé dans l'expression « charmeur de serpents »). Cette façon de jouer sur différents sens d'un mot (comprenant le sens ancien) qui ne s'excluent pas, mais se surajoutent, était assez appréciée des poètes symbolistes dont Valéry est comme le représentant au xxᵉ siècle.

Ce texte a été proposé au baccalauréat avec la recommandation suivante :

« Vous ferez un commentaire composé du texte en montrant bien comment le poète a su mettre en valeur la délicatesse de ces pas et des sentiments qu'ils éveillent en lui. »

LES PAS

Tes pas, enfants de mon silence,
Saintement, lentement placés,
Vers le lit de ma vigilance
Procèdent muets et glacés.

Personne pure, ombre divine,
Qu'ils sont doux, tes pas retenus !
Dieux !... tous les dons que je devine
Viennent à moi sur ces pieds nus !

Si, de tes lèvres avancées,
Tu prépares pour l'apaiser,
A l'habitant de mes pensées
La nourriture d'un baiser,

Ne hâte pas cet acte tendre,
Douceur d'être et de n'être pas,
Car j'ai vécu de vous attendre,
Et mon cœur n'était que vos pas.

Paul Valéry, *Charmes*, Ed. Gallimard, 1922.

LECTURE INNOCENTE. PREMIÈRES IMPRESSIONS

Pour la démarche à suivre ici, se reporter p. 46.

● Remarque technique préliminaire

Nous nous arrêterons seulement sur un point de versification important pour ce texte, et dont la méconnaissance rendrait très aléatoire le commentaire des effets de rythme.

La syllabe comprenant un « *e* muet » est prononcée en poésie, même dans les cas où elle n'est pratiquement plus prononcée dans l'usage courant. Ainsi l'adverbe « lentement », que nous prononçons le plus souvent « lent'ment » (deux syllabes), doit être prononcé en poésie « len-te-ment » (trois syllabes). Il en est de même pour plusieurs autres mots du texte.

La syllabe comportant un « *e* muet » ne compte cependant pas en poésie lorsque, à la fin d'un mot, elle est suivie d'une voyelle et elle ne compte pas non plus en fin de vers. Le vers cinq se décompose donc ainsi :

1   2   3   4   5   6   7   8
Per-so-ne-pu-rom-bre-di-vin'

La présence dans ce texte de nombreuses syllabes prononcées en poésie et non dans la langue courante contribue sans doute à lui donner une certaine solennité.

QUESTIONNEMENT DU TEXTE

1. A quel GENRE littéraire appartient le texte?

Il s'agit d'un *poème* en quatre *quatrains* de quatre *octosyllabes* chacun. On peut noter en outre que l'auteur respecte la règle traditionnelle qui fait alterner les *rimes masculines* et les *rimes féminines* (*cf.* p. 28).

Dans la mesure où l'auteur exprime des sentiments personnels, on peut ranger ce texte dans la *poésie lyrique*, mais cette catégorie est très ouverte et nous verrons qu'il faudra spécifier encore.

2. De quoi est-il question dans le texte? Quel en est le THÈME?

La première chose qui frappe, comme cela se produit souvent avec la poésie moderne, c'est la difficulté de résumer un tel texte. Il est d'ailleurs bon de rappeler à ce propos ce que disait Paul Valéry sur l'attitude de ceux qui croient expliquer un texte littéraire en le résumant :

« Or est *poème* ce qui ne peut se résumer. (...)
Rien de beau ne se peut résumer.
Les barbares pédagogues résument et font résumer les œuvres dont l'absurdité de les résumer est l'essence même[1]. »

Il parle des longs poèmes, comme les épopées, mais ce qu'il dit vaut aussi pour des poèmes plus courts. Ce qui est proprement

1. *Tel quel*, « Rhumbs », *Œuvres*, Ed. Gallimard, Bibliothèque de la Pléiade, tome II, p. 638.

poétique, littéraire, est obligatoirement laissé de côté dans un résumé. C'est justement pour faire prendre conscience de cet élément poétique que, à propos de Hugo, nous avons conseillé de comparer le résumé au texte littéraire dont il provenait.

En examinant ce poème de Valéry, nous constatons qu'il est presque impossible de le résumer. Mais cette difficulté à cerner un « contenu » attire notre attention sur une caractéristique importante de ce texte : une certaine indétermination du thème.

On peut cependant, dès ce moment, formuler celui-ci en une phrase :

> *Dans ce poème tiré de* Charmes, *et intitulé « Les pas », Paul Valéry évoque l'approche discrète, dans le silence d'une attente vigilante et sensible, d'une personne précieuse et chère.*

3. Quelle est la COMPOSANTE principale du texte ?

Nous rappelons les grandes catégories qui figurent dans notre questionnement : « action, conversation, description, réflexion, expression d'un sentiment, rêve ».

Ce poème correspond à l'*expression d'un sentiment*. Même si l'auteur s'adresse à une personne, il s'agit d'une personne absente et il n'y a donc pas de conversation. Quant aux autres catégories, il est manifeste qu'elles ne correspondent pas à un procédé dominant. Mais, en essayant d'y faire entrer le poème, on peut, par exemple, prendre conscience du fait que l'être attendu est très peu *décrit*.

4. Quel est le PROCÉDÉ dominant ?

Vous percevrez certainement le recours à l'*apostrophe*, procédé qui consiste à s'adresser directement à une personne présente (pour un orateur), absente ou imaginaire.

Si vous avez une certaine habitude de la poésie versifiée, vous pourrez noter aussi une utilisation très subtile des ressources de la versification.

Mais il est un autre procédé, fondamental dans ce texte, qui échappe à presque tous les candidats, mais qui n'échappe pas à celui qui connaît l'œuvre de Valéry et qui a fréquenté les poètes symbolistes, notamment Mallarmé. Ce poème est, de bout en bout, à double sens. Il concerne, à la fois, l'attente d'un être aimé et l'attente du poème, la fébrile inquiétude de l'amoureux et celle du créateur.

Nous sommes donc dans le domaine du *symbole* ou de l'*allégorie* au sens que nous avons donné à ces termes dans notre second chapitre (cf. p. 32). Remarquons, au passage, que rien dans le libellé ne mettait l'élève sur la piste.

L'expérience prouve que les élèves ne voient pas le second sens. Et d'une façon plus générale, quelqu'un qui n'a jamais lu Valéry a toutes les chances de ne pas le voir. C'est l'occasion pour nous de réaffirmer la nécessité d'une culture littéraire. Un lecteur innocent, mis devant ce texte, ne perçoit pas les effets de rythme qui utilisent les ressources de la versification et ne perçoit pas le double sens. Autant dire qu'il ne le comprend pas.

5. Quelle PROGRESSION se réalise dans le texte?

Dans l'étude du poème de Hugo, nous avons vu que la progression, figurée par une diagonale sur notre schéma, nous conduisait de « *O jeunes...* » à « *aux jeunes* ». En simplifiant, nous pouvons dire que nous avons ici une progression du même type qui nous conduit des premières syllabes aux dernières, de « *Tes pas* » à « *vos pas* ». Cette progression est étroitement liée au double sens du poème, au point qu'on en vient à se demander si « vos pas » est seulement la marque du respect pour une personne d'abord désignée d'une façon plus familière ou s'il ne pourrait pas s'agir d'un interlocuteur pluriel (les poèmes ou les vers dont le poète guettait les rythmes).

6. L'AUTEUR manifeste-t-il sa présence dans le texte?

Aucun problème ici. L'auteur parle à la première personne du singulier et en son nom.

7. Quelle est l'INTENTION de l'auteur?

La réponse à cette question ne sera pas la même, selon qu'on aura ou non perçu le caractère symbolique du texte.

Dans le premier cas, l'on se trouve dans la situation classique du poète lyrique qui essaie de cerner l'ineffable. On peut aussi remarquer, dans cette hypothèse, que la poésie lyrique est souvent d'une tonalité triste, alors qu'il émane de ce petit poème une très forte impression de volupté et de bonheur.

Dans le second cas, sans exclure le niveau d'interprétation précédent, on approche certainement beaucoup plus de l'intention réelle de Valéry : évoquer poétiquement les tout débuts de la genèse du poème, en nous faisant ressentir ce que celle-ci peut avoir de prenant et de sensuel.

ÉTABLISSEMENT DU PLAN

Etant entendu qu'un commentaire qui néglige le caractère symbolique du poème laisse de côté l'essentiel, nous proposerons un plan qui prend en compte cette donnée.

Nous évoquerons cependant, dans le chapitre suivant, la solution sur laquelle pouvait se rabattre l'élève qui n'aurait pas perçu le double sens du texte (cf. p. 132).

On ne sait plus très bien avec un tel texte quel est l'élément qui doit être considéré comme le comparé et quel est celui qui doit tenir lieu de comparant, mais il est certain qu'il faut commencer par l'étude du niveau de signification le plus évident. Cela nous conduit donc au plan suivant :

    I. Premier niveau de signification :
           l'approche d'une personne aimée.

    II. Second niveau de signification :
           la venue de l'inspiration poétique.

    III. Fonctionnement de l'allégorie entre ces deux niveaux
           expression poétique de la genèse du poème

RÉDACTION DE L'INTRODUCTION

Nous proposons, comme précédemment, une introduction du type thème-procédé-intention.

Du fait de la prise en compte d'un second niveau de signification, la phrase à laquelle nous avions abouti au point 2 du questionnement doit être enrichie.

Pour le texte de cette introduction, se reporter au corrigé rédigé qui suit.

EXAMEN DÉTAILLÉ DU TEXTE

Cet examen se fera en fonction des grandes lignes du plan.

Nous manquons de place pour faire avec vous la totalité des repérages-regroupements, mais vous en connaissez maintenant le principe.

Nous nous contenterons d'un exemple de relevé systématique qui permet à la fois de vérifier et de préparer des matériaux pour la rédaction.

Au cours du questionnement, même si on ne savait rien sur Valéry, on pouvait noter une certaine indétermination quant à la personne à laquelle s'adresse le poète. Pour ne pas se laisser emporter par sa fantaisie, il est bon, au cours de l'examen détaillé, de revenir au texte et d'étudier systématiquement les éléments grammaticaux (essentiellement des adjectifs possessifs et des pronoms personnels) qui se rapportent respectivement au poète et à la personne attendue, et d'en faire un tableau.

Numéro des vers	Auteur	Personne attendue
1	*mon* (silence)	*Tes* (pas)
2		
3	*ma* (vigilance)	
4		
5		
6		*tes* (pas)
7	*je* (devine)	
8	(à) *moi*	*ces* (pieds)
9		*tes* (lèvres)
10		*Tu* (prépares)
11	*mes* (pensées)	
12		
13		
14		
15	*j'* (ai vécu)	*vous* (attendre)
16	*mon* (cœur)	*vos* (pas)

Ce relevé permet de constater que, même après un examen attentif, il subsiste un certain flou quant à la personne attendue. Rien, en particulier, d'un point de vue strictement grammatical, ne permet d'en déterminer le sexe.

Par ailleurs, si vous ne l'aviez pas vu plus tôt, ce relevé attirerait votre attention sur le passage du tutoiement au vouvoiement dans les deux derniers vers.

Enfin, au vu de ce tableau, on constate un certain équilibre entre le *toi* et le *moi* dont on pourra tirer des conséquences dans l'analyse.

COMMENTAIRE RÉDIGÉ

Dans ce poème tiré de *Charmes*, et intitulé « Les pas », Paul Valéry évoque l'approche discrète, dans le silence d'une attente vigilante et sensible, d'une personne précieuse et chère, dont on devine qu'elle n'est autre que la poésie.

Quatre quatrains suffisent pour construire un poème qui peut se lire suivant deux niveaux de signification étroitement imbriqués, mais qui conservent une possible autonomie.

Cette allégorie, qui décrit en même temps l'approche de l'être aimé et l'approche de l'inspiration, permet à Valéry de raconter poétiquement la genèse du poème et de nous faire sentir tout ce que peut avoir de captivant et de sensuel la création poétique.

Les pas de la « personne » qui s'avance vers le « lit » du poète et que l'on se représente — sans que cela soit dit explicitement — sous les traits encore vagues d'une femme aimée s'approchant dans le silence, sont à la fois intimes et étrangers.

Intimes, car la personne est connue, tutoyée, dès le seuil du poème, par l'apostrophe « Tes pas » qui revient au vers six, ramenée à l'être même et à l'attitude attentive et recueillie de celui qui l'attend (« mon silence... », « ma vigilance... »). Le toi et le moi se conjuguent dans l'approche, comme s'accordent les pas « muets » du quatrième vers au « silence » du poète.

Etrangers, car encore lointains dans cette approche même : lenteur que suggère notamment le rythme du second vers, silence, froideur mystérieuse de ces pieds « glacés » et « nus ». Le verbe « procèdent », qui signifie « avancent », est un mot d'origine savante, un calque du latin *procedere*, manifestant une hauteur et un raffinement qui rendent ces pas éminents et précieux :

« Personne pure, ombre divine. »

La triple exclamation du second quatrain (« Qu'ils sont doux... ! », « Dieux !... » « tous les dons... ! »), soulignée par une légère allitération en *d*, renforce cette impression d'adoration mystique pour un être qui paraît être d'origine supraterrestre. En même temps, les « pas retenus » dans une strophe au rythme irrégulier, brisé, évoquant l'émotion du poète, figurent parfaitement l'avancée discrète, attentive à ne pas troubler par un bruit déplacé la pure et inquiète attente de l'amant, d'une femme qui se sait et se veut surprise, « don » et mystère.

Cette « ombre » se précise, son corps se dessine. Elle n'est plus seulement ces « pieds nus » effleurant le sol d'une approche discrète, mais « lèvres avancées », prêtes au « baiser », disposées à la satisfaction d'un désir qui se fait plus charnel, comme l'indiquent nettement le mot « nourriture » ou le verbe « apaiser ». C'est à présent l'amant qui voudrait la retenir, retarder la satisfaction de son propre désir, qui trouve sa volupté dans l'attente :

« Ne hâte pas cet acte tendre. »

Le rythme délié des derniers vers, sans ponctuations internes, développe dans une harmonie sereine l'idée de ce suspens merveilleux qui n'est pas encore la présence, mais déjà la certitude d'une complicité imminente et proche.

Ce pourrait être, si l'on s'arrête à ce niveau de signification du texte, un joli poème sur l'attente amoureuse, et sur la joie raffinée que l'on éprouve à différer longuement la satisfaction d'un désir. Il peut même sembler, à ce niveau, que le soudain passage du tutoiement au vouvoiement, dans les deux derniers vers, soit une façon de tenir encore à distance l'objet du désir.

Mais si, limité à ce premier sens, le poème reste une œuvre pleine de « charme », le second niveau est déjà là, affleurant sous le premier. Ces pas, ces pieds qui s'approchent, sont les pieds du poème, dessinant, comme une forme encore vide et mystérieuse, le rythme, le tracé des vers à venir

S'ils sont « enfants de mon silence », c'est parce que seul le recueillement silencieux du poète à l'écoute peut leur permettre de parvenir. Muets, car ils ne sont encore qu'un rythme pur, ils « procèdent » lentement, « Saintement, lentement placés », avec la majesté elle aussi recueillie et silencieuse des processions. Ils s'avancent vers « le lit de ma vigilance », car c'est cette « vigile », cette veille, qui est la condition de toute inspiration féconde. L'attention à ce qui va venir se confond dans le silence avec l'attente amoureuse. Un « don » est espéré, qui, lentement, s'approche, et prend forme.

On comprend à présent pourquoi cette «personne», semblable d'abord à un fantôme, est «pure», «ombre divine», porteuse de «dons» proposés de très loin encore à la divination du poète : «tous les dons que je devine». L'inspiration poétique se comporte comme un oracle, ou comme une apparition survenant dans un songe qui, ici, exclut le sommeil, car le sommeil est le temps de l'irresponsabilité, et seule la «vigilance» donne le droit et le mérite qui permettent de recevoir le baiser de la Muse. Ces «pieds nus», c'est le rythme encore vide des mots, la forme vide des vers, le rythme pur qui s'impose lentement au poète. Ce qui se dispose à le remplir, c'est ce «baiser» préparé sur les «lèvres avancées» de l'apparition qui devient de plus en plus nette, de plus en plus incarnée dans une substance qu'elle va transmettre : «la nourriture d'un baiser».

Ce baiser fécondant, cette matière poétique destinée à remplir la forme creusée par l'attente dans la forme pure du rythme des pas, «l'habitant de mes pensées», il faudra le retarder quelque peu. Car ce à quoi le poète attache du prix, c'est à ressentir l'imminence, à goûter, dans le vertige sensible de l'attente, «douceur d'être et de n'être pas», l'avancée comblante du don poétique, qui exige cette patience et cette entière consécration de soi.

Entre les deux niveaux de signification que nous venons d'analyser et dont nous avons pu apprécier l'exact recouvrement, l'allégorie installe des points de contact : les «pieds», qui sont à la fois ceux de la personne aimée et ceux du poème à venir ; les «pas», qui représentent aussi le rythme du poème ; la figure générale de l'approche ; le «lit», qui évoque le lit réel de l'amant et l'abandon — mais abandon vigilant — du poète ; les «dons», qui sont à la fois les dons amoureux de la «personne» et les dons poétiques, ces «vers donnés» qui sont souvent, pour Valéry, à l'origine d'un poème

Ces «vers donnés», Valéry ne les jugeait pas suffisants et il les opposait aux vers produits par un long et méticuleux travail d'artisan, la poésie étant faite des uns et des autres. Mais on constate ici que la réception d'un «don» exige elle-même une intense participation du poète. D'où sans doute l'équilibre, dans ce poème, entre le toi et le moi

Les « lèvres », chair tendre destinée au baiser, c'est aussi la porte entrouverte d'où s'échappent les mots. L'expression « l'habitant de mes pensées » est une figure précieuse et conventionnelle du langage amoureux, tout comme le passage du tutoiement au vouvoiement en fin de poème, mais elle désigne, en même temps, à un second niveau, le rythme pur qui occupe l'esprit du poète. L'« acte tendre » est autant l'acte d'amour que le « baiser » de la Muse, inspiration fécondante.

La perfection de l'allégorie est ainsi conditionnée par un nombre élevé de ces mots à double entente qui sont autant de points de raccordement du sens premier et du sens second du poème. Entre la femme aimée et la poésie, le poème qui décrit le suspens de l'attente reste, lui aussi, en suspens.

Perfection de l'allégorie, beauté musicale des vers, combinaison de variété et d'équilibre dans les rythmes, ce poème de Valéry montre les pouvoirs d'une technique parfaitement maîtrisée.

Sa nature double correspond à la dualité de Valéry lui-même qui fut simultanément un poète et un exact analyste des opérations qui président à la création poétique. Sans devenir, pour autant, un écrit théorique, ce texte incarne, dans ce qu'il décrit de l'attente attentive des mots et du rythme qui la creuse, ce qu'en termes non poétiques Valéry écrivait du poème : « cette hésitation prolongée entre le son et le sens ».

9 Le problème du plan

Nous avons déjà insisté sur la nécessité de *construire*[1] qui apparaît bien dans le nom même de l'exercice, puisqu'on parle de commentaire *composé*.

On trouve, dans tout commentaire composé, le *schéma* INTRODUCTION/CORPS DU DEVOIR/CONCLUSION. Le problème du *plan* concerne donc uniquement l'organisation des matériaux à l'intérieur du corps du devoir.

Nous avons déjà signalé que ces matériaux devaient s'organiser autour de deux, trois, ou, éventuellement, quatre *centres d'intérêt*. Il nous reste donc, essentiellement, à justifier cette démarche et à indiquer les voies qui permettent de déterminer l'ordre d'apparition de ces centres d'intérêt.

CE QU'IL FAUT ÉVITER

1. L'absence de plan

Assez souvent, le candidat se contente de juxtaposer des remarques sur le texte sans que puisse être décelé un lien entre elles. Le commentaire n'offre aucun découpage visible, aucune organisation des parties, révélant ainsi qu'il ne correspond pas à une démarche préméditée.

Il s'agit là de l'un des défauts les plus graves et les plus durement sanctionnés. Il ne faut pas confondre, en effet, réaction spontanée devant le texte et « spontanéisme » de la rédaction. Ce que l'on vous demande, c'est, effectivement, d'avoir une réaction personnelle face au texte, mais c'est aussi d'en rendre compte au travers d'une étude ordonnée. Et cela, tout simplement parce que la mise en ordre de votre réflexion et le caractère construit du développement peuvent seuls *convaincre* votre lecteur de la justesse de votre réaction.

---

1. Cf. p. 7.

2. Le plan en une seule partie

Nous évoquons ici un cas nettement différent du précédent. Le corps du devoir ne constitue qu'une seule masse, mais, cette fois, parce que l'élève a organisé son étude autour d'un centre d'intérêt unique. Le risque d'un tel choix est grossièrement identique à celui présenté par l'absence de plan. Le lecteur a l'impression que le devoir n'est pas construit, parce que le corps du devoir se présente d'une façon massive, sans divisions visibles, sans changements de perspectives, sans différenciations internes.

Cette solution est moins mauvaise que la précédente, car elle a le mérite de développer une idée. Toutefois, le fait que cette idée soit unique ne permet aucune organisation interne et aucune *progression* réelle de la réflexion.

3. Le trop grand nombre de paragraphes

Certains candidats se livrent à l'exercice inverse. Sachant que les examinateurs apprécient un découpage clair et aéré, ils multiplient les parties, soit en découpant d'une façon artificielle l'ensemble de leur développement, soit en multipliant les centres d'intérêt. Cela donne immédiatement au lecteur une impression désagréable d'émiettement. La démarche d'ensemble, dans les cas où il y en a une, est difficile à percevoir.

4. Le déséquilibre entre les parties

Après avoir rédigé une première partie longue de plusieurs pages, l'élève, en seconde partie, se contente d'un paragraphe d'une dizaine de lignes. L'impression de plan disparaît et le correcteur a le sentiment que la seconde partie est tout à fait accessoire. Elle ressemble à un appendice, maladroitement rajouté par simple souci de se conformer à une exigence formelle. Elle montre, à l'évidence, que l'élève est parti à l'aventure dans son travail de rédaction, sans voir plus loin que sa première partie.

5. Le plan fond-forme

L'élève parle d'abord du « contenu », du « sens », du « fond », c'est-à-dire des idées et des sentiments exprimés dans le texte, et réserve pour une partie distincte, venant en fin de devoir, les remarques qui concernent la « forme » ou, en d'autres termes, le « style », l'« expression », la « technique littéraire ».

Bien souvent, cette partie, nettement plus courte que la précédente, apparaît, elle aussi, comme un appendice rajouté avec ennui, au dernier moment, pour sacrifier à ce que l'on croit être les lois du genre.

Par ailleurs, elle traduit une méconnaissance de la réalité du travail littéraire, dont nous avons déjà évoqué les risques à plusieurs reprises. Le style ne s'apparente pas à une décoration qui vient se surajouter à une pensée pour l'enjoliver. La littérature peut se définir comme la mise en œuvre expressive des multiples potentialités du langage en vue de produire un effet global. L'analyse de la production de cet effet, qui est le but du commentaire, interdit que l'on étudie séparément ce sens singulier et ce qui sert à l'exprimer.

6. La démarche juxtalinéaire

La démarche juxtalinéaire — ou commentaire ligne à ligne et parfois mot à mot — est toujours une tentation pour le candidat, car elle a quelque chose de rassurant. Par ailleurs, la pratique de l'explication de texte et celle de la lecture suivie, développée en classe dès le premier cycle, vous ont habitué à cette procédure.

Le commentaire composé formule une exigence tout à fait différente. Même si, dans un premier temps, le texte doit avoir été analysé d'une façon suivie, l'activité propre du commentaire consiste à réorganiser tous les éléments retenus à l'intérieur de centres d'intérêt rattachés logiquement les uns aux autres. Le commentaire en suivant le texte — même s'il arrive qu'il soit toléré — ne correspond pas aux exigences de l'épreuve et peut, de ce fait, être lourdement sanctionné.

A ce propos cependant, et pour éviter toute équivoque, il nous paraît nécessaire de commenter un point des Instructions officielles (cf. p. 155). On peut lire, dans l'un des paragraphes concernant le « mode d'organisation » des matériaux tirés de l'analyse : [Le commentaire] *« peut encore, selon la nature du texte, s'inspirer de ses structures mêmes et de sa composition, s'organiser selon les effets qui s'y développent. »*

Ces lignes n'autorisent pas un commentaire juxtalinéaire, mais elles admettent cependant la possibilité, dans certains cas particuliers, de « suivre » le texte. Pour faire comprendre ce point, nous partirons de deux exemples opposés.

Récemment, les candidats ont été confrontés à un poème d'Albert Samain intitulé « Au jardin de l'Infante ». Il s'agit d'un poème composé de quatre strophes comprenant chacune six alexandrins. Ces strophes ont chacune leur autonomie et elles correspondent à quatre états d'âme très différents. Leur juxtaposition et leur ordre d'apparition sont cependant déterminants du point de vue de l'effet produit.

Dans ce cas, le candidat était autorisé à étudier le poème strophe par strophe, quitte ensuite à s'arrêter sur l'effet d'ensemble. C'est d'ailleurs ce qu'ont fait sans encombre de nombreux élèves [1].

En revanche, si ce procédé avait été appliqué au texte de Flaubert tiré de *Salammbô* étudié aux pp. 95-108, cela aurait sans doute été jugé un peu artificiel. Nous avons vu, en effet, qu'on pouvait distinguer dans ce passage trois moments (jour-crépuscule-nuit), mais cela ne justifiait pas le choix d'un plan en trois parties correspondant à ces trois moments. Un tel choix n'était pas la meilleure solution pour mettre en évidence l'*effet dominant* du texte.

PRINCIPES A SUIVRE

1. Pas de recettes mécaniques

Nous tenons tout d'abord à insister sur un point. Il n'existe pas de recettes mécaniques qui puissent s'appliquer d'une façon automatique à l'élaboration d'un commentaire composé. Les ouvrages qui prétendent le contraire sont malhonnêtes.

Pour ce qui est de la dissertation, il y a des types de sujets qui appellent plus ou moins clairement des types de plans ou qui, du moins, s'en accommodent presque toujours. Ainsi le plan PROBLÈME/CAUSES/SOLUTION peut convenir à presque tous les problèmes d'ordre général. De même, s'il est vraiment au service d'une réflexion articulée et qui progresse, le plan

---

[1]. On pourra lire deux copies d'élèves se rapportant à ce texte qui ont obtenu d'excellentes notes à l'examen, dans *Bonnes copies de baccalauréat*, tome II, Profil/Formation n° 317-318 (nouvelle édition).

THÈSE/ANTITHÈSE/SYNTHÈSE peut toujours s'adapter à la discussion d'une opinion.

En revanche, *il n'y a pas une typologie de plans pour le commentaire*. Cette épreuve portant sur un texte singulier et dont la valeur tient justement à cette singularité, son plan est, en quelque sorte, dicté par ce texte même. Et comme il existe une diversité indéfinie de textes littéraires, la liberté d'invention au niveau du plan du commentaire reste complète.

Nous avons été tentés, cependant, de vous donner des recettes correspondant à des types de textes qui reviennent souvent, mais tout compte fait, cela nous est apparu plus dangereux qu'utile.

Par exemple, lorsque deux personnages se trouvent au centre d'une scène, nous pourrions vous conseiller d'étudier systématiquement l'un de ces personnages dans une première partie pour passer ensuite au second, le tout étant couronné par une synthèse sur cette rencontre. C'est ce que nous faisons nous-mêmes dans le texte de Flaubert extrait de *Madame Bovary* qui, p. 134, met en présence Charles et Emma.

Cependant, le recours mécanique à cette « recette » ne convient que lorsque l'intérêt essentiel du texte consiste à mettre en opposition deux personnages, comme c'est le cas pour le passage de Flaubert dont nous parlons. La différence psychologique entre les deux protagonistes est manifestement ce que veut faire ressentir Flaubert afin que tout le reste du roman s'en trouve éclairé. C'est donc ce point que le commentaire doit souligner.

Mais il pourrait être stupide, et donc fatal, d'appliquer la même démarche à d'autres situations, par exemple au dialogue d'une héroïne de tragédie avec sa confidente.

2. Nécessité d'un plan équilibré

Nous entendons par « plan équilibré » un plan qui satisfait aux exigences suivantes :
— correspondre à un *nombre limité de centres d'intérêt* (2, 3 ou 4) ;
— montrer qu'il y a un intérêt dominant du texte à l'intérieur duquel s'organisent *hiérarchiquement* les centres d'intérêt ;
— aboutir à une *démonstration* concernant l'art littéraire de l'écrivain.

Nous nous sommes déjà suffisamment étendus sur le *nombre des parties* pour ne pas avoir à nous y arrêter longuement. Précisons cependant que si les correcteurs ont souvent une préférence pour le plan en trois parties, cela n'est pas dû à un fétichisme du chiffre 3. Ce plan correspond, le plus souvent, à une certaine logique. Deux éléments du texte ont été analysés et mis en présence. Une troisième partie permet une synthèse qui tire ses *preuves* de ce qui précède en y apportant éventuellement des compléments.

A noter aussi que « plan équilibré » ne signifie pas que les différentes parties doivent être strictement équivalentes en volume. Il faut éviter, nous l'avons vu, les trop grandes disparités, mais il arrive souvent que la troisième partie, quand elle se présente comme une synthèse de ce qui précède, soit plus brève et moins directement étayée par le texte que les deux premières.

Quand nous parlons d'une *hiérarchie* des centres d'intérêt, nous voulons indiquer que s'il existe une multitude de centres d'intérêt possibles pour un texte, leur importance dépend de leur proximité avec l'intérêt dominant. Ainsi, « Les pas » de Valéry, que nous venons d'étudier, est un poème particulièrement intéressant pour étudier la subtilité de Valéry, technicien du vers. Mais les contraintes de l'épreuve obligent à faire des choix. L'essentiel nous paraissant l'étude du double sens, nous avons été conduits, pour ne pas dépasser les limites de ce qu'on peut faire en quatre heures, à ne pas accorder à ces questions de versification toute l'attention qu'elles méritent.

En liaison avec cette hiérarchie des centres d'intérêt, intervient le problème de l'*ordre d'exposition*. Dans quel ordre les divers centres d'intérêt doivent-ils être présentés ? Nous avons déjà abordé ce problème à propos des exemples de commentaire qui précèdent. Disons, pour simplifier, que l'on va généralement :

— *du simple au complexe* (Hugo (*cf.* p. 75) : 1. Implication du poète ; 2. Antithèse ; 3. Structure. Valéry. 1. Sens évident ; 2. Sens pour initiés ; 3. Fonctionnement de l'allégorie) ;
— *du plus « faible » au plus fort* (Flaubert, *Salammbô* (*cf.* p. 99) : 1. Effets plastiques ; 2. Effets dramatiques) ;
— *du plus analytique au plus synthétique* (Flaubert,

Madame Bovary (cf. p. 134) : 1. Psychologie de Charles ; 2. Psychologie d'Emma ; 3. Synthèse).

Cet ordre d'exposition obéit dans tous ces cas à une logique si évidente qu'il n'est pas utile de l'expliciter. C'est ce qui nous a conduits à affirmer que, s'il y a toujours plusieurs plans possibles pour un texte donné, il y en a toujours un qui est meilleur que les autres.

Le meilleur plan est celui qui — par le choix des centres d'intérêt et l'ordre d'exposition — va à l'essentiel, c'est-à-dire qui répond le mieux à la question sur l'intention de l'auteur dans l'ensemble du passage étudié.

Prenons un exemple précis. Il était possible de faire un plan sur «Les pas» de Valéry sans comprendre le caractère symbolique du texte. On aurait pu, par exemple, dans un premier temps, étudier tout ce qu'il y avait de *sensualité* dans cette évocation, pour s'arrêter ensuite au *raffinement* (raffinement des sentiments et de la versification inextricablement mêlés). Il s'agit là de deux facettes importantes du texte et un candidat au baccalauréat pourrait obtenir une très bonne note en procédant ainsi.

Cependant, ce plan qui ignore le caractère symbolique du poème est moins bon que celui qui en tient compte, car il laisse de côté ce qui, manifestement, correspondait pour l'auteur à l'effet dominant. Mais, si l'on tient compte de ce caractère allégorique du texte, *un ordre d'exposition s'impose*. Nous sommes contraints de commencer par le sens le plus immédiatement perceptible et que perçoivent tous les lecteurs, pour ne passer qu'ensuite au sens pour initiés. L'ordre inverse serait artificiel et bien peu pédagogique.

En complément, et pour illustrer ces propos, vous trouverez dans les pages qui suivent quelques exemples de plan.

EXEMPLES DE PLAN

TEXTE N° 1

Charles Bovary, jeune médecin de campagne, est l'objet, après la mort de sa femme, de la sollicitude du père Rouault, qui l'invite fréquemment aux Bertaux et cherche à le distraire de son malheur. Acceptant cette consolation, il multiplie ses visites. Arrivant un jour aux Bertaux, Charles trouve Emma, la fille du vieil homme, seule à la maison.

Vous ferez de ce texte (cf. p. 134) un commentaire composé en prenant soin d'évaluer l'importance des procédés descriptifs au sein de la narration.

Il arriva un jour vers trois heures ; tout le monde était aux champs ; il entra dans la cuisine, mais n'aperçut point d'abord Emma ; les auvents étaient fermés. Par les fentes du bois, le soleil allongeait sur les pavés de
5 grandes raies minces, qui se brisaient à l'angle des meubles et tremblaient au plafond. Des mouches, sur la table, montaient le long des verres qui avaient servi, et bourdonnaient en se noyant au fond, dans le cidre resté. Le jour qui descendait par la cheminée, veloutant la suie
10 de la plaque, bleuissait un peu les cendres froides. Entre la fenêtre et le foyer, Emma cousait ; elle n'avait point de fichu, on voyait sur ses épaules nues de petites gouttes de sueur

Selon la mode de la campagne, elle lui proposa de
15 boire quelque chose. Il refusa, elle insista, et enfin lui offrit, en riant, de prendre un verre de liqueur avec elle. Elle alla donc chercher dans l'armoire une bouteille de curaçao, atteignit deux petits verres, emplit l'un jusqu'au bord, versa à peine dans l'autre, et, après avoir
20 trinqué, le porta à sa bouche. Comme il était presque vide, elle se renversait pour boire ; et, la tête en arrière, les lèvres avancées, le cou tendu, elle riait de ne rien sentir, tandis que le bout de la langue, passant entre ses dents fines, léchait à petits coups le fond du verre.

25 Elle se rassit et elle reprit son ouvrage, qui était un bas de coton blanc où elle faisait des reprises ; elle travaillait le front baissé ; elle ne parlait pas, Charles non plus. L'air, passant par le dessous de la porte, poussait un peu de poussière sur les dalles ; il la regardait se traîner, et il
30 entendait seulement le battement intérieur de sa tête, avec le cri d'une poule, au loin, qui pondait dans les cours. Emma, de temps à autre, se rafraîchissait les joues en y appliquant la paume de ses mains, qu'elle refroidissait après cela sur la pomme de fer des grands
35 chenets.

Elle se plaignit d'éprouver, depuis le commencement de la saison, des étourdissements ; elle demanda si les bains de mer lui seraient utiles ; elle se mit à causer du couvent, Charles de son collège, les phrases leur vinrent.

Gustave Flaubert, *Madame Bovary*, 1856.

PROPOSITION DE PLAN POUR LE TEXTE Nº 1

INTRODUCTION

THÈME. La *rencontre* d'un jeune médecin de province, Charles, et d'une jeune fille, Emma, qui l'accueille dans la maison de son père.

PROCÉDÉ. La description attentive et fine de l'*atmosphère*.

INTENTION. Évoquer la *psychologie* des personnages à travers la description de leurs *comportements*.

LA PSYCHOLOGIE DE CHARLES D'APRÈS SON COMPORTEMENT :

— sa gêne, traduite par des notations négatives ;
— sa passivité perceptive ;
— son manque d'initiative ;
— sa gaucherie.

LA PSYCHOLOGIE D'EMMA D'APRÈS SON COMPORTEMENT :

— sa capacité d'initiative ;
— la vie de son corps ;
— son rapport actif aux sensations ;
— sa grâce.

L'ART DE FLAUBERT DANS LA DESCRIPTION DE CES PERSONNAGES :

— la technique réaliste et son résultat : une étude de psychologie comparée et un jugement porté sur ces deux êtres mis ensemble ;
— préfiguration de la suite du roman (si l'œuvre est connue).

CONCLUSION

RÉUSSITE de Flaubert dans cette page :

— subtilité de la technique descriptive et du réalisme (description externe) ;
— mais suggestion du vécu intime des personnages (pénétration vers l'intériorité) ;
— le réalisme au service de la psychologie.

TEXTE N° 2

M. et Mme Grosgeorge, un couple de bourgeois aisés, passent une soirée d'hiver dans leur salon.

Au bout d'un assez long moment Mme Grosgeorge plia son journal et se mit à regarder les bûches qui se consumaient. Lorsque la dernière tomberait en morceaux, elle et son mari quitteraient le salon pour gagner leurs chambres. C'était le
5 signal qu'ils attendaient l'un et l'autre ; ainsi s'achevaient leurs soirées d'hiver. Et, tout en considérant les flammes, elle s'abandonnait à mille réflexions. Dans cet intérieur à la fois comique et sinistre, où tout proclamait la petitesse d'une existence bourgeoise, le feu semblait un être pur et fort que l'on
10 tenait en respect, comme une bête cernée au fond de sa tanière, avec des chenets[1], des pincettes et des tisonniers, instruments ridicules. Toujours prêt à se jeter hors de sa prison, à dévorer le tapis, les meubles, la maison détestée, il fallait le surveiller sans cesse, ne pas le laisser seul dans la pièce, refouler les tronçons
15 brûlants qu'il envoyait quelquefois sur le marbre, parer ses étincelles meurtrières. Elle était comme ce feu, furieux et impuissant au fond de l'âtre, agonisant devant des choses sans beauté et des lâches vigilants qu'il ne pourrait jamais atteindre.
   Brusquement, M. Grosgeorge sortit de son demi-sommeil.
20 — Hein ? Quoi ? fit-il. Tu as dit quelque chose ?
   — Non. Tu as dû rêver, dit-elle d'une voix sèche où perçait le mépris. Et elle ajouta : Je vais monter dans un instant.
   — Ah ? Moi aussi. Je dors déjà. Donne-moi la pelle que je recouvre les bûches.
25 Il prit la pelle de cuivre que sa femme lui tendait en silence et, ramassant de la cendre, la fit tomber d'une manière égale sur les flammes qui s'éteignirent.

Julien Green, *Léviathan*, 1929,
Ed. du Seuil, collection Points-Roman.

Sans dissocier la forme et le fond, vous ferez un commentaire composé de ce passage en présentant vos remarques de manière ordonnée. Vous pourrez, par exemple, étudier comment l'évocation d'une soirée rend compte d'une existence et concourt à suggérer une atmosphère.

---

1. *Chenets* : pièces de la cheminée sur lesquelles on dispose les bûches.

PROPOSITION DE PLAN POUR LE TEXTE N° 2

INTRODUCTION

THÈME. Description de la soirée d'un vieux couple.

PROCÉDÉ. Rôle métaphorique donné au feu dont la description occupe l'essentiel du passage.

INTENTION. Donner à la fois le sentiment de l'enlisement et d'une révolte qui couve.

L'ENLISEMENT DANS LA ROUTINE ·
— cadre banal ;
— caractère réglé d'une soirée ordinaire ;
— absence de communication (le dialogue tourne court, « voix sèche ») et silence.

LA RÉVOLTE LATENTE DE LA FEMME :
— Mme Grosgeorge plus active (« mille réflexions », alors que son mari somnole) ;
— sa perception du décor (« comique et sinistre », « maison détestée ») ;
— mépris pour son mari (« où perçait le mépris »).

LA COMPARAISON Mme GROSGEORGE-FEU :
— comparaison à deux niveaux (Mme Grosgeorge comme le feu et le feu comme « une bête cernée au fond de sa tanière ») ;
— force, pureté, évasion (« toujours prêt à se jeter hors de sa prison »), désir de vivre et de briser un cadre contraignant (« à dévorer le tapis, les meubles… ») ;
— enfermement dans le « foyer » (« tenait en respect », « bête cernée », « avec des instruments ridicules », « prison », « surveiller sans cesse », « *refouler* », « agonisant »), extinction (la cendre sur la flamme).

CONCLUSION

RÉUSSITE de Green dans cette page :

Exprimer avec force le ressentiment d'une âme mise sous l'éteignoir en faisant du *symbole* du feu l'élément dominant d'un texte qui reste cependant étroitement descriptif, et ce à deux niveaux :
— celui de la *situation* des personnages et du décor ;
— celui de la *psychologie* du personnage central, qui s'assimile au feu dans sa rêverie.

TEXTE N° 3

Le texte qui suit est extrait d'un roman de Camus (1913-1960) non publié du vivant de l'auteur et dont certains éléments se retrouvent, modifiés, dans des œuvres ultérieures.

Il lui fallait maintenant s'enfoncer dans la mer chaude, se perdre pour se retrouver, nager dans la lune et la tiédeur pour que se taise ce qui en lui restait du passé et que naisse le chant profond de son bonheur. Il se dévêtit, descendit quelques rochers et entra dans la mer. Elle était chaude
5   comme un corps, fuyait le long de son bras, et se collait à ses jambes d'une étreinte insaisissable et toujours présente. Lui, nageait régulièrement et sentait les muscles de son dos rythmer son mouvement. A chaque fois qu'il levait un bras, il lançait sur la mer immense des gouttes d'argent en volées, figurant, devant le ciel muet et vivant, les semailles
10 splendides d'une moisson de bonheur. Puis le bras replongeait et, comme un soc vigoureux, labourait, fendant les eaux en deux pour y prendre un nouvel appui et une espérance plus jeune. Derrière lui, au battement de ses pieds, naissait un bouillonnement d'écume, en même temps qu'un bruit d'eau clapotante, étrangement clair dans la solitude et
15 le silence de la nuit. A sentir sa cadence et sa vigueur, une exaltation le prenait, il avançait au plus vite et bientôt il se trouva loin des côtes, seul au cœur de la nuit et du monde. Il songea soudain à la profondeur qui s'étendait sous ses pieds et arrêta son mouvement. Tout ce qu'il avait sous lui l'attirait comme le visage d'un monde inconnu, le prolongement
20 de cette nuit qui le rendait à lui-même, le cœur d'eau et de sel d'une vie encore inexplorée. Une tentation lui vint qu'il repoussa aussitôt dans une grande joie du corps. Il nagea plus fort et plus avant. Merveilleusement las, il retourna vers la rive. A ce moment il entra soudain dans un courant glacé et fut obligé de s'arrêter, claquant des dents et les gestes
25 désaccordés. Cette surprise de la mer le laissait émerveillé. Cette glace pénétrait ses membres et le brûlait comme l'amour d'un Dieu d'une exaltation lucide et passionnée qui le laissait sans force. Il revint plus péniblement et sur le rivage, face au ciel et à la mer, il s'habilla en claquant des dents et en riant de bonheur.

Albert Camus, *La mort heureuse*, Ed. Gallimard, 1971.

Vous ferez de ce texte un commentaire composé. Vous pourrez, par exemple, étudier comment Camus suggère le bonheur qu'engendre cette plongée régénératrice dans les flots.

A cette scène correspond, en particulier, la scène où, dans *La peste*, Rieux et Tarrou quittent la ville en proie à l'épidémie pour aller prendre, de nuit, un bain en mer.

PROPOSITION DE PLAN POUR LE TEXTE N° 3

INTRODUCTION

THÈME. Une nuit, les retrouvailles exaltées et sensuelles d'un homme et de la mer.

PROCÉDÉ. L'interpénétration descriptive constante des *sensations* et des *sentiments*.

INTENTION. Evoquer le ressaisissement d'un être et de son bonheur, dans un élément primordial qui réveille la vie.

LA DESCRIPTION DES SENSATIONS :

(Cette partie s'arrêtera, en particulier, sur le jeu des métaphores.)

— la volupté du contact (« tiédeur », « chaude comme un corps », « étreinte... ») ;
— les sensations musculaires (« lançait... en volées.. semailles », « labourait », « sa cadence ») ;
— l'étrangeté, la surprise (le courant glacé) ;
— la lassitude heureuse.

LA DESCRIPTION DES SENTIMENTS :

— le désir de dissolution et, en même temps, de réunification ;
— l'exaltation vitale ;
— le vertige de la profondeur et de l'engloutissement dans l'inconnu (étrangeté/complicité de l'eau et de la nuit) : contrepoint du thème précédent, comme le courant glacé fait contrepoint à la tiédeur sensuelle du début ;
— l'émerveillement et le sublime ;
— le bonheur de la vie retrouvée.

CONCLUSION

RÉUSSITE de Camus dans cette page :

L'interférence des sens et de l'esprit est exprimée avec beaucoup de talent. Chaque sensation se trouve sublimée dans un sentiment qui naît d'elle et la dépasse, comme le bonheur dépasse le plaisir.

Un poème a mijoté tout le jour
Et n'est pas venu
On a senti sa présence tout le jour
    soulevante
Comme une eau qui gonfle
Et cherche une issue
Mais cela s'est perdu dans la terre
Il n'y a plus rien.

On a marché tout le jour comme des fous
Dans un pressentiment d'équilibre
Dans une prévoyance de lumière possible.
Comme des fous tout à coup attentifs
A un démêlement qui se fait dans leur cerveau
A une sorte de lumière qui veut se faire
Comme s'ils allaient retrouver
    ce qui leur manque
Mais ils s'affolent de la lenteur
    du jour à naître
Et voilà que la lueur s'en re-va
S'en retourne dans le soleil hors de vue
Et la porte de l'ombre se referme
Sur la solitude plus incompréhensible
Comme une note qui persiste, stridente,
Annihile le monde entier.

Saint-Denys Garneau [1], *Poésies complètes*, Ed. Fides, 1949.

Ce texte pourrait être lu comme une définition implicite de ce qui peut être écrit de la poésie. Vous pourrez vous intéresser, entre autres, à l'ensemble des sujets grammaticaux, à la transformation des images, à la composition du poème.

    Vous organiserez votre commentaire selon le plan qui vous paraîtra le plus propre à mettre en relief les résultats de votre étude.

---

1. Poète canadien d'expression française (1912-1943)

PROPOSITION DE PLAN POUR LE TEXTE N° 4

INTRODUCTION

THÈME. L'imminence d'un poème et son évanouissement, provoquant la frustration des poètes.

PROCÉDÉ. L'expression comparative et métaphorique des sentiments.

INTENTION. Cerner au plus près un sentiment délicat et amer : celui d'un rendez-vous manqué avec la création poétique.

LA MONTÉE DU POÈME :

Etude des métaphores et des comparaisons (1. « mijoté » — « soulevante » — « eau qui gonfle » — « cherche une issue » ; 2. « lumière possible » — « sorte de lumière qui veut se faire » — « jour à naître »).

LA FERVEUR DES POÈTES RESSENTANT L'IMMINENCE DE LA CRÉATION POÉTIQUE :

— étude des pronoms personnels : un « on » indéfini qui pourrait être un singulier, mais qui s'avère ensuite être un pluriel (« comme des fous », « *leur* cerveau », « *ils* ») ;
— outre les métaphores, des éléments montrant la force du sentiment intérieur (« tout le jour », « comme des fous », « ils s'affolent »).

LA FUITE DU POÈME, LA DÉCEPTION :

Etude des métaphores et des comparaisons évoquant le sentiment de frustration, de retombée amère (dans la lignée des deux séries évoquées dans la première partie : 1. « s'est perdu dans la terre » ; 2. « la lueur s'en re-va »/« s'en retourne », « la porte de l'ombre se referme »). Chacune de ces séries se termine sur une idée de néant (« rien », « annihile »).

CONCLUSION

RÉUSSITE de Saint-Denys Garneau dans ce poème :
— bel usage expressif du registre de la comparaison et de la métaphore dans l'effort pour illustrer un sentiment lié à la création poétique ;
— l'auteur fait un poème *réussi* sur le thème du poème avorté, sur l'*échec* de la poésie, et sur la frustration qui en résulte. Ce poème sur le désespoir des poètes porte donc l'espoir paradoxal de sa propre réussite.

10 Le problème de la rédaction

L'ORGANISATION DU TEMPS

A part quelques questions techniques qui seront évoquées plus loin, il n'existe pas de problèmes de rédaction spécifiques du commentaire.

Vous savez, en particulier, que le commentaire doit être entièrement rédigé, qu'il est inutile de donner des titres aux parties, qu'il est bon de laisser un espace entre les parties et de marquer le début des paragraphes par un alinéa et, sauf exceptions, vous ne devez pas céder à la tentation du style télégraphique.

Les problèmes de rédaction existent, mais ce sont des problèmes d'ordre général, les mêmes que ceux qui se posent pour les autres exercices, c'est-à-dire essentiellement ceux qui concernent l'orthographe et la correction de la langue.

Nous vous renvoyons sur ces points à ce que nous disons dans le chapitre suivant sur la nécessité d'un travail de fond pour acquérir une meilleure maîtrise de la langue. Nous nous contenterons ici de vous conseiller d'éviter les phrases trop longues, trop « emberlificotées ». Sans ramener le devoir à une succession de propositions indépendantes, il est souvent bon d'opter pour une phrase simple et efficace.

Il est aussi nécessaire de relire soigneusement le devoir, à plusieurs reprises si possible, pour éviter les erreurs dues à la fièvre de l'examen. Cette nécessité d'un regard calme et attentif sur ce qu'on vient d'écrire pose évidemment le problème de l'organisation du temps.

Vous ne disposez que de quatre heures, quatre heures déjà entamées par la lecture des trois sujets. Si l'on tient compte du temps nécessaire pour la relecture, vous avez un peu plus de trois heures et demie pour lire le texte, le soumettre au questionnement, établir les lignes du plan, procéder à l'examen détaillé du texte et rédiger l'ensemble du devoir.

On peut tout de suite tirer une conséquence de cette observation. *Il est pratiquement impossible de rédiger la totalité du commentaire au brouillon.* Et c'est pourquoi nous avons tant insisté sur la nécessité de procéder à des *repérages-regroupements* avec notation des *emplacements* et si possible, quand les références sont nombreuses, des tentatives de *classement*.

Une seconde conséquence s'impose. Il faut s'entraîner très tôt à travailler dans les conditions de l'examen. Quand vous travaillerez à la maison, le plus souvent, vous prendrez tout votre temps pour vous documenter, établir un plan, rédiger un devoir plus consistant que celui que vous pourriez produire en quatre heures. Mais, dans quelques cas, il faudra décrocher le téléphone et travailler montre sur table de façon à ne pas se trouver le jour J devant une situation totalement nouvelle.

QUELQUES PROBLÈMES TECHNIQUES

1. L'aspect « visuel » du devoir

Le correcteur n'est pas mal disposé à votre égard, mais il a devant lui une centaine de copies, parfois plus, et il faut faciliter son travail.

N'employez pas une encre trop claire car il peut avoir les yeux fatigués ; pensez à ponctuer avec soin, n'oubliez pas les accents, formez bien vos majuscules. Votre négligence dans ces domaines demande au correcteur un effort supplémentaire qu'il vous fera payer, même inconsciemment, au moment de la notation.

Dans le souci de faciliter le travail du correcteur, vous devez aussi soigner la présentation d'ensemble du devoir. La lecture ligne à ligne d'un texte est toujours précédée d'une « lecture visuelle » de caractère global. Le texte est envisagé dans ses grandes masses et ses sous-ensembles d'un premier coup d'œil, avant même d'être véritablement lu.

Pour rendre cette première impression positive, vous devez :
— bien distinguer les parties ;
— bien distinguer les paragraphes ;
— citer les vers en revenant à la ligne.

● *Les différentes parties du devoir doivent être distinguées nettement.*

Vous pouvez, si vous le souhaitez, marquer cette séparation par des astérisques, mais cela ne constitue pas une obligation. Vous pouvez très bien vous contenter de sauter deux ou trois lignes.

● *Les différents paragraphes d'une partie seront distingués par des alinéas.*

L'alinéa est un léger décalage vers la droite du début de la ligne qui marque le passage à un nouveau terme du raisonnement.

L'organisation d'une partie en différents paragraphes en suggère visuellement l'organisation. Par souci d'aérer et peut-être sous l'influence du journalisme, on tend aujourd'hui à multiplier les paragraphes. Il ne faut cependant pas tomber dans un excès. Si le devoir compact, qui se présente comme un gros pavé indigeste, est fortement déconseillé, il faut éviter aussi un devoir en miettes. Le devoir du candidat qui va à la ligne à chaque phrase est tout aussi pénible à lire que celui du candidat qui n'y va jamais.

Vous éviterez ces défauts extrêmes en pensant qu'un alinéa doit indiquer le passage à une idée légèrement différente.

2. Les citations et les titres

● *Quand vous citez des vers*, toujours dans le souci de soigner la présentation visuelle, allez à la ligne. Evitez absolument la solution qui consiste à citer plusieurs vers, dans le cours de la rédaction, en indiquant simplement la séparation par une barre oblique (« *Quand le ciel bas et lourd pèse comme un couvercle/Sur l'esprit gémissant en proie aux longs ennuis* »). Si vous citez ces deux vers, ils doivent apparaître tels qu'ils se présentent dans l'œuvre originale, et légèrement distingués de votre développement :

> « *Quand le ciel bas et lourd pèse comme un couvercle*
> *Sur l'esprit gémissant en proie aux longs ennuis.* »

Nous éprouvons souvent une certaine peine à lire les copies parce que votre propre texte se distingue mal des éléments du texte que vous citez. Pour éviter cet inconvénient, il faut préférer les guillemets de type français qui indiquent bien le début et la fin de l'élément cité (« ») aux guillemets à l'anglaise (" ").

• *Les titres d'œuvres doivent être soulignés.* Par « titres d'œuvres », nous entendons les titres de recueils, de romans, de pièces de théâtre, de livres en général et les titres de films ou de grandes œuvres musicales.

Les titres de poèmes, de chansons, de fables seront mis entre guillemets.

Dans un livre imprimé, le soulignement est remplacé par des caractères italiques, ce qui explique qu'aucun soulignement n'apparaisse dans nos corrigés.

Ces conventions sur le soulignement et l'emploi des guillemets ne sont pas arbitraires. Le fait de souligner les titres permet de distinguer les cas où l'on parle de *Tartuffe* pour désigner la pièce de théâtre et de Tartuffe pour désigner le personnage principal de cette pièce.

De même, la nécessité de souligner un titre d'œuvre et de mettre entre guillemets un titre de poème permet d'éviter les ambiguïtés quand un même titre a été utilisé pour désigner l'un des poèmes du recueil et le recueil tout entier.

3. Recherche d'une certaine variété

Vos commentaires sont parfois monotones du fait du retour constant des mêmes termes ou de formules identiques pour introduire les observations sur le style.

Au lieu de dire uniquement « ce texte » d'un bout du devoir à l'autre, vous pouvez, par exemple, dire : « cette page », « le passage étudié », « ces quelques lignes », « ce poème de Valéry »,

« ce sonnet », « ces quatrains », « ces deux strophes », « cette description », etc.

Pour introduire l'analyse des procédés de style, ayez recours le moins possible au procédé qui consiste simplement à mettre l'élément cité à l'intérieur d'une parenthèse, ou encore, ce qui est pire, à écrire simplement, par exemple : « ligne 4 » pour confirmer ce que vous dites.

Il faut intégrer les références dans la rédaction, comme nous le faisons dans nos corrigés, et si l'on cède à la solution de facilité du recours aux parenthèses, il ne faut pas en abuser car cela devient rapidement fastidieux.

On peut renvoyer « au second vers », « au troisième vers de la seconde strophe », « au dernier vers », mais il n'est pas conseillé de renvoyer « à la ligne 4 » ou « à la quatrième ligne » d'un texte en prose. Il serait préférable de parler de « la seconde phrase de cette description », « le début du second paragraphe », « le troisième alinéa » ou de citer tout simplement le fragment concerné.

Vous manquez souvent d'imagination dans le mode de présentation des procédés de style. Nous avons relevé pour vous quelques exemples de phrases plus élégantes que ce qu'on lit le plus souvent dans vos copies :

— « nous sommes plongés dans un univers mystérieux... »

— « il suffit à Chateaubriand de quelques touches pour suggérer... »

— « quoique le texte ne précise rien, c'est encore.. »

— « dans l'alinéa suivant, l'impression d'obscurité est complète... »

— « mais dans la dernière strophe, le clair-obscur n'est utilisé que pour marquer le triomphe de la nuit... »

— « sur le ton de la simplicité, le sonnet débute par l'évocation d'un lieu que le poète a dégagé de toute circonstance particulière, de toute précision descriptive... »

— « l'évocation sobre et suggestive à la fois du premier vers amène logiquement et sans heurt la vision de l'eau qui coule... »

— « la relativité de ce que l'habitude nous a appris à considérer comme naturel. Elle apparaît dès les premiers mots de cet extrait : "O atomes intelligents..." »

— « Le mépris du philosophe à l'égard de l'humanité en général apparaît dans la désinvolture de l'expression « tout le reste », qui, de même que le péjoratif « assemblage », ôte toute individualité aux êtres envisagés. »

— « S'il veut détromper définitivement le crédule Sirien, le philosophe doit lui montrer l'ampleur de ce mal. "Savez-vous bien" prépare d'ailleurs son interlocuteur à des paroles étonnantes, incroyables. "A l'heure que je vous parle" précise l'actualité des faits rapportés et ainsi leur confère plus d'importance et de gravité. »

— « Mais le triomphe de cette transposition éclate essentiellement dans la notation des déformations de l'onde sonore : "qui flotte, ondule, bondit, tourbillonne et prolonge bien au-delà de l'horizon le cercle assourdissant de ses oscillations". Les termes qui notent ces déformations sont empruntés à un autre domaine, la propagation des ondes sonores dans l'eau : "flotte, bondit, tourbillonne", ce qui permet au romancier une plus grande précision. »

— « Une série de qualifications toutes plus honteuses les unes que les autres se pressent dans sa gorge : "Nommez-les fourbe, infâme et scélérat maudit." De même au vers 138 — dans une moindre mesure cependant —, la suite des deux verbes "accueille" et "rit", bien détachés par la répétition du sujet "on", suffit à mettre concrètement en lumière l'accueil empressé que reçoit le "scélérat maudit". »

— « ... au point de vue du sens, il s'est produit une évolution insensible, un glissement... »

— « ... cependant la fin du vers vient donner une impression contraire... »

— « .. tout comme le premier quatrain, le deuxième commence par l'esquisse fort générale d'un paysage où aucun détail pittoresque n'est noté. »

— « .. le contraste se marque surtout dans l'emploi des verbes « pleurer » et « chanter ».

— « ... la reprise de la tournure "si j'ayme" qui revient au vers sept un peu à la manière d'un refrain et crée pour l'oreille un début d'obsession, parfait le parallélisme avec le second quatrain et le premier. »

— « ... le premier complément, "dans le crépuscule bleu qui descendait du ciel", situe très précisément la scène dans le temps grâce à une notation descriptive. »

Vous pourriez relever d'autres formules de ce genre. Il ne s'agira pas de les plaquer ensuite dans vos devoirs, mais ce relevé doit simplement vous aider à prendre conscience des multiples possibilités qu'offre la langue d'introduire élégamment vos observations sur le style.

Quand vous rédigez un commentaire, vous désirez, comme l'écrivain, produire un effet sur le lecteur. Cet acte est, dans votre cas, très directement intéressé, puisque vous souhaitez agir sur lui de telle sorte qu'il se décide à vous mettre une bonne note. Pour ce faire, dans l'ordonnancement de votre devoir comme dans l'agencement d'un texte littéraire, tout compte : l'aspect visuel de votre copie, la correction et, si possible, l'élégance de votre phrase, la rigueur de vos enchaînements et la façon dont vous aurez su concilier, dans les quelques pages de votre commentaire, le respect scrupuleux du texte et une certaine implication personnelle.

La préparation lointaine

Pour toutes les épreuves, il faut distinguer la préparation à court terme et la préparation lointaine. Cela est particulièrement vrai des épreuves de français, car c'est un domaine où il n'est pas possible d'absorber rapidement les connaissances nécessaires. Le travail, en français, ne porte ses fruits qu'après un temps de maturation. C'est pourquoi nous ne cessons de dire à nos élèves que « le français au bac » se prépare dès le début de la Seconde et même en Troisième.

Vous trouverez ci-dessous quelques directions de travail qui compléteront ce que disent vos professeurs.

LE PERFECTIONNEMENT DANS LE MANIEMENT DE LA LANGUE

1. Les outils de travail

Dans l'étude d'un texte, vous pouvez être gêné parce que le sens de certains mots du texte vous échappe. Et, pour les mêmes raisons, vous pouvez commettre la faute la plus grave dans ce genre d'exercice, le contresens.

Il est donc nécessaire de procéder très tôt avec le français comme vous le feriez avec une langue étrangère. Vous devez, en particulier, enrichir d'une façon systématique votre vocabulaire.

Votre principal outil dans ce domaine sera un bon *dictionnaire de langue*. On appelle dictionnaire de langue un dictionnaire qui ne répertorie pas les noms propres, mais qui précise à la fois le sens des mots et le niveau de langue auquel ils correspondent. Ce dictionnaire comporte, de plus, de nombreuses citations, ce qui permet de voir ces mots utilisés dans un contexte.

A votre niveau, le *Petit Larousse* ne suffit plus et vous devez travailler avec un dictionnaire plus spécialisé, soit le *Petit Robert 1*, soit le *Lexis* publié par Larousse. Il s'agit d'ouvrages maniables et tout à fait suffisants pour ce qui vous concerne.

Le dictionnaire de langue sera utilement complété par un bon dictionnaire des synonymes. Pour être utile, un dictionnaire des synonymes ne doit pas seulement énumérer les mots dont le sens est proche, mais il doit expliquer les différences entre ces mots. Notre choix se porte sur le *Dictionnaire des synonymes* de A.-V. Thomas aux Editions Larousse.

Vous devez aussi améliorer votre maîtrise de la langue pour mieux rédiger. Afin d'éviter les principales erreurs, vous pourrez avoir à la portée de la main un *dictionnaire des difficultés de la langue française* et un *ouvrage sur les conjugaisons*. Nous conseillons sur ce point les titres suivants :
— *Bescherelle 1. L'art de conjuguer*, Ed. Hatier ;
— *Dictionnaire des difficultés de la langue française*, A.-V. Thomas, Ed. Larousse.
Enfin la rédaction du commentaire et l'analyse des textes requièrent la connaissance des notions grammaticales de base. Vous disposerez d'un outil simple et pratique avec la *Grammaire française des lycées et collèges* de H. Bonnard aux Ed. Sudel.

Ces ouvrages constituent les outils de base que tout candidat au baccalauréat doit avoir sur ses rayons. Ils pourront être complétés par d'autres ouvrages, notamment par les *Profil* qui concernent l'expression (*Trouver le mot juste, Le français sans faute, Améliorez votre style*, etc.).

Tableau récapitulatif des ouvrages indispensables

1	Un dictionnaire de langue : *Petit Robert 1* ou *Lexis*, Ed. Larousse.
2	*Dictionnaire des synonymes* de A.-V. Thomas, Ed. Larousse.
3	*Bescherelle 1. L'art de conjuguer*, Ed. Hatier.
4	*Dictionnaire des difficultés de la langue française* de A.-V. Thomas, Ed. Larousse.
5	*Grammaire française des lycées et collèges* de H. Bonnard, Ed. Sudel.

2. Le travail possible

Vous aurez ces outils à la portée de la main et vous les utiliserez dès que le besoin s'en fera sentir. En particulier, lorsque vous aurez des textes à étudier, vous vérifierez avec soin le sens des mots qui vous paraissent faire problème.

Nous ne saurions, en outre, trop vous recommander d'avoir un carnet de vocabulaire et de citations. Le mieux est d'utiliser pour cela un carnet-répertoire car les recherches ultérieures en seront facilitées. Vous vous efforcerez d'accompagner le mot défini d'une phrase dans laquelle il est employé. Vous pourrez noter sur un même carnet-répertoire les mots nouveaux, les noms des figures de style avec, toujours, des exemples, et les citations tirées de vos lectures.

D'une façon générale, vous devez faire preuve de curiosité à l'égard des mots et prendre la bonne habitude de ne pas employer ceux dont le sens vous échappe.

LE PERFECTIONNEMENT
DANS LA CONNAISSANCE
DES PROCÉDÉS DE STYLE

Notre chapitre 2 vous a donné les rudiments de stylistique indispensables. Mais il est certain que si vous pouviez améliorer vos connaissances dans ce domaine, vous seriez beaucoup plus à l'aise. Les ouvrages spécialisés sont nombreux et pas toujours simples. Nous n'indiquerons ici que les titres de ceux qui nous paraissent pouvoir être mis à profit par des élèves de Première ou de classe préparatoire :

— *Précis de stylistique française*, J. Marouzeau, Ed. Masson ;
— *Le style et ses techniques. Précis d'analyse stylistique*, M. Cressot, Ed. P.U.F. ;
— *Gradus. Les procédés littéraires*, B. Dupriez, U.G.E., 10/18.

Ce dernier est relativement complexe, mais vous pouvez le « picorer » avec fruit.

Vous pourrez compléter votre arsenal avec quelques livres de la collection « Que sais-je ? » déjà signalés en cours d'ouvrage :
— *La versification*, P. Guiraud, P.U.F., « Que sais-je ? »
— *Les jeux de mots*, P. Guiraud, P.U.F., « Que sais-je ? ».
— *L'humour*, R. Escarpit, P.U.F., « Que sais-je ? ».

Nous n'indiquons pas les dates de première publication de ces différents ouvrages, car il s'agit de titres régulièrement réédités et remis à jour. Vous vous procurerez donc l'édition disponible dans le commerce.

LE PERFECTIONNEMENT DANS LA MAITRISE
DE LA TECHNIQUE DE L'EXERCICE

Si vous arrivez à l'examen en n'ayant fait, en tout et pour tout, qu'un ou deux commentaires composés, vous risquez des déboires. La meilleure façon de se perfectionner est donc de s'entraîner sans contraintes ou dans les conditions de l'examen.

Comme vous manquez souvent de temps, vous pouvez parfois vous contenter de faire en une heure un plan détaillé sur les textes disponibles dans les *Annabac*.

Vous arriverez aussi à une meilleure compréhension de la nature de l'exercice, si vous consultez les deux *Bonnes copies de baccalauréat. Français. Commentaire composé* parus dans la collection Profil Formation. Il s'agit de copies d'élèves ayant obtenu une très bonne note à l'examen. Ces copies sont accompagnées d'un commentaire pédagogique qui en fait ressortir les points forts. La consultation attentive de ces ouvrages sera certainement d'un grand profit. Cependant, pour que ce travail permette un perfectionnement réel, il serait bon que vous teniez compte du *Mode d'emploi* qui se trouve au début de ces ouvrages. Avant de lire la copie de votre camarade, lisez attentivement le texte, et en une demi-heure, établissez un plan. Ne vous reportez qu'ensuite à la « bonne copie », de façon à voir quelles solutions ont été apportées aux problèmes qui vous ont embarrassé. Il serait bon de procéder de même avec les textes dont nous donnons le corrigé dans cet ouvrage. Ce corrigé sera d'un plus grand profit si, auparavant, vous vous êtes, ne serait-ce qu'une heure, « colleté » avec le texte.

Enfin, la lecture du *Prépabac* de français (Hatier) pourra vous faire parcourir efficacement toutes les étapes de l'exercice.

L'ACQUISITION D'UNE CULTURE LITTÉRAIRE

Nous vous avons armé d'une grille de questionnement du texte pour le cas où les idées « ne viendraient pas ». Cette grille est un peu comme la corde de l'alpiniste. Elle vous donne une plus grande assurance et vous permet de dépasser le blocage initial que l'on constate parfois. Elle vous aide à prendre conscience d'impressions que vous aviez ressenties confusément.

Mais il est évident que ce questionnement prend du temps et vous savez combien le temps est précieux le jour de l'examen. Seule la possession d'une solide culture littéraire vous permettra de raccourcir la durée de cette auscultation du texte et d'arriver très vite aux intuitions sur lesquelles s'édifiera le devoir.

Cette culture littéraire vous permettra aussi de découvrir des aspects du texte qui, sans elle, vous auraient échappé. Nous avons vu, par exemple, à propos de Valéry, que seule une certaine fréquentation de cet auteur permettait d'appréhender le texte cité dans toute sa richesse.

La possession de cette culture vous permettra aussi de gagner du temps parce que, le jour de l'examen, comme nous l'avons déjà dit en cours d'ouvrage, il s'agit autant de retrouver que de trouver.

Vos connaissances, surtout quand elles sont superficielles, vous nuisent parfois. Elles font écran entre le texte et vous ou viennent artificiellement s'ajouter à votre réflexion.

Il n'en reste pas moins qu'il existe des constantes chez un écrivain et même pour une époque ou un genre donné. Quand on a étudié soigneusement une dizaine de textes de Hugo ou de Voltaire ou de n'importe quel autre écrivain, on connaît déjà un certain nombre d'habitudes dominantes qui peuvent se retrouver dans le texte à commenter. Et cette connaissance, si l'on sait rester vigilant pour ne pas faire dire au texte ce qu'il ne dit pas, est souvent d'un précieux secours.

Cette culture littéraire peut s'acquérir tout d'abord dans le cadre scolaire. Les cours et les explications de textes de vos professeurs, complétés par le travail à la maison, ont pour but de favoriser cette acquisition. En dehors du travail qui vous est demandé expressément, vous pouvez utiliser vos manuels pour mieux connaître les auteurs et les époques. Vous pourrez, par exemple, en partant du manuel, établir des fiches très visuelles qui vous obligeront à faire la synthèse de ce que vous avez lu. La lecture attentive des textes voisins de ceux que vous étudiez vous permettra aussi d'acquérir de solides bases.

Cependant, la culture littéraire s'acquiert aussi, et peut-être surtout, en dehors du cadre scolaire. Vous devez lire dans leur intégralité les œuvres fondamentales, de telle sorte que la chose littéraire vous devienne familière.

On peut considérer, par exemple, que tout élève se présentant au baccalauréat doit avoir lu *La Princesse de Clèves*, *Les Confessions*, *Le Père Goriot*, *Le Rouge et le Noir*, *Madame Bovary*, *Germinal*, *Un amour de Swann*, *La peste*, *Candide*, *Les Fleurs du Mal*, sans oublier les textes importants de Hugo, Verlaine, Rimbaud, et de quelques autres.

Il faut aussi lire, en dehors des préoccupations d'examen, les œuvres qui vous touchent, sans vous cantonner aux auteurs français. Suivez les émissions littéraires à la télévision car il s'y dit parfois des choses importantes. Allez au cinéma, notamment pour voir les adaptations des œuvres littéraires que vous connaissez. Et allez au théâtre, car une bonne mise en scène révèle toujours un texte théâtral mieux que ne pourrait le faire la plus lumineuse des explications.

Les Instructions officielles 12

On trouvera ci-dessous les Instructions officielles relatives au commentaire composé ou « deuxième sujet ».

TEXTE DES « INSTRUCTIONS OFFICIELLES »

Deuxième sujet

Commentaire composé d'un texte littéraire

L'épreuve porte sur un texte choisi en raison de sa qualité littéraire. Le candidat est invité à rendre compte de la lecture personnelle qu'il en a faite, c'est-à-dire de la façon dont il découvre, ressent et comprend cette qualité.

Il convient donc de *choisir un texte* dont la dimension soit autant que possible de l'ordre d'une vingtaine de lignes ou de vers[1]. Un texte trop court contraindrait le commentaire à une minutie exténuante. Trop long, il mettrait le candidat dans l'impossibilité d'accorder au style et au détail de l'expression l'attention précise que requiert la lecture d'un texte littéraire.

Ce texte ne doit comporter aucune coupure. Une coupure en déchirerait la trame et rendrait aléatoire toute analyse des effets littéraires.

---

1. Cette indication n'exclut pas la forme fixe du sonnet.

Il doit pouvoir être compris et apprécié sans que soit nécessaire la connaissance de l'œuvre dont il est tiré. Toutes les informations indispensables sont fournies avec le sujet : titre de l'œuvre, date de sa publication et, si besoin est, indications sur le contexte précis dans lequel le passage prend sens.

Dans le même esprit, on évitera de proposer des textes qui, par la singularité du propos ou la bizarrerie de l'écriture, auraient le caractère d'une énigme réservée aux seuls initiés. Le texte retenu ne doit à aucun titre déconcerter. Tout candidat qui a sérieusement appris à lire des textes littéraires, réfléchi sur la méthodologie de la lecture et acquis un vocabulaire technique simple, doit pouvoir aborder l'exercice avec des chances raisonnables de réussite.

Le *libellé du sujet* a pour fin de faciliter les démarches du candidat. On lui suggère non un plan à suivre mais quelques points de départ pour une lecture efficace. On attire son attention sur tels caractères de la facture du texte dont l'examen peut conduire à mieux saisir ses significations essentielles. Ces indications ne peuvent être exhaustives. Elles ne sont à aucun degré impératives ou contraignantes. Elles laissent au candidat toute liberté d'orienter autrement sa lecture, de l'ordonner, de l'élargir, de l'approfondir selon le sentiment qu'il a du texte.

Pour que ce libellé remplisse sa fonction, il convient de le rédiger avec un soin particulier. Il ne devra pas laisser croire qu'un texte littéraire ne fait que « traduire » un sens préexistant. Il pourra au contraire suggérer — dans l'esprit des Instructions en vigueur — que, dans un texte littéraire, « la facture est génératrice du sens ». C'est la raison pour laquelle une étude séparée du « fond » et de la « forme » laisserait échapper l'essentiel. La signification est inséparable de la forme qui la constitue et qui la propose.

Il est nécessaire que le *commentaire* soit *composé*. C'est-à-dire qu'il doit présenter avec ordre un bilan de lecture organisé de façon à donner force au jugement personnel qu'il prépare et qu'il justifie.

Plusieurs modes d'organisation sont évidemment possibles. Le commentaire peut se présenter comme un compte rendu qui classe dans un ordre expressif les centres d'intérêt de la lecture. Il peut s'attacher à caractériser le texte en allant du plus extérieur au plus intime et des observations les plus simples aux impressions les plus personnelles. Il peut reconstruire les étapes successives de la lecture et de la découverte. Il peut encore, selon la nature du texte, s'inspirer de ses structures mêmes et de sa composition, s'organiser d'après les effets qui s'y développent.

Seule est exclue une démarche juxtalinéaire qui ferait se succéder sans lien entre elles et sans perspective des remarques ponctuelles et discontinues. Une lecture vraie se construit et ne saurait consister en une poussière de remarques.

L'*évaluation* s'attachera sans aucun formalisme à apprécier les copies selon trois critères essentiels :

— la qualité d'une lecture littéraire pertinente, consciente de ses démarches et précise dans ses observations ;

— l'efficacité de la composition et la justesse d'une formulation nuancée ;

— la sensibilité et la richesse personnelles qui s'expriment dans la réaction du candidat devant le texte.

Bulletin officiel de l'Education nationale,
n° 27, 7 juillet 1983.

Pour plus d'informations, on pourra se reporter à *Français, langues anciennes. Classes de seconde, première et terminale.* Collection *Horaires, objectifs, programmes, instructions*, publication du Ministère de l'Education nationale/Direction des Lycées. Cet ouvrage est disponible au Centre National de Documentation Pédagogique, 13, rue du Four, 75270, Paris Cedex 06.

Index des problèmes de méthode

Index des noms d'auteurs